Chère Lectrice,

En ouvrant ce livre de la Série Harmonie, vous entrez dans le monde magique de l'aventure et de l'amour.
Vous connaîtrez des moments palpitants, vous vivrez avec l'héroïne des émotions inconnues.
Duo connaît bien l'amour. La Série Harmonie vous passionnera.

Harmonie : des romans pour faire durer votre plaisir,
quatre nouveautés par mois.

Le Sequoia National Park,
près de Bakersfield.

Série Harmonie

LINDSAY McKENNA

Toi, pour toujours

Les livres que votre cœur attend

Titre original : *Love Me Before Dawn* (44)
© 1984, Eileen Nauman
Originally published by Silhouette Books
a Simon & Schuster division of Gulf
& Western Corporation, New York

Traduction française de : Dominique Minot
© 1984, Éditions J'ai Lu
27, rue Cassette, 75006 Paris

Chapitre 1

Tess coiffait en silence la masse de ses cheveux auburn et observait son image dans le miroir. Les traits tirés par une journée de travail, elle ne se sentait pas en train.

Vraiment, pensa-t-elle, je n'ai pas la moindre envie d'aller à cette réception. Pourquoi diable suis-je si dénuée d'enthousiasme ? Jerry, lui, est tout excité à l'idée de ce dîner !

D'un coup d'œil, elle vérifia le tombé de la longue robe ivoire dont le col montant rejoignait presque son chignon serré sur la nuque, accusant le relief de ses pommettes saillantes.

Elle avait vingt-quatre ans mais en paraissait davantage. Très éprise de son époux, Jerry Hamilton, elle l'admirait sincèrement mais elle savait que, passionné par ses fonctions d'ingénieur en chef de la firme Rockwell International, il n'avait d'attention que pour les plans du futur bombardier B-1 qu'il était en train de réaliser.

— Tu es bientôt prête, ma chérie ?

Jerry traversa nonchalamment la grande chambre au mobilier élégant et s'arrêta près d'elle, se pencha et posa un baiser indifférent sur la joue veloutée de sa femme.

— Tu es ravissante, comme d'habitude, dit-il.

5

Tess se força à sourire mais ses grands yeux bleu pervenche gardaient une expression morose.

— Merci. J'ai presque fini.

Il resta debout derrière elle, bras croisés, l'observant d'un œil critique dans le miroir tandis qu'elle se poudrait.

— De toutes les créatures de Dieu, tu es incontestablement la plus provocante malgré tes dehors convenables ! Je me rappelle la première fois que je t'ai vue à Rockwell ! Je suis tombé amoureux tout de suite. Tu étais superbe, avec tes grands yeux candides et tes lèvres...

Il lui effleura la bouche.

— Quelle douce tentation ! murmura-t-il.

Tess se sentit rougir mais se le reprocha aussitôt. Piquer des fards à vingt-quatre ans était parfaitement ridicule ! Surmonterait-elle un jour cette infirmité ?

— Je t'en prie, Jerry !

Il rit doucement, prit le châle de dentelle irlandaise — cadeau de la grand-mère de Tess — et le posa sur ses épaules. Ce châle était devenu une véritable tradition dans la famille. Il était régulièrement transmis à la personne jugée la plus méritante de la jeune génération. Jerry s'en était amusé et avait bien essayé de dissuader sa femme de le porter pour les cérémonies officielles, le jugeant un peu démodé, mais c'était peine perdue. Tess y tenait ! Il fallait lui passer ce caprice, elle n'était encore qu'une enfant, après tout !

Il lui sourit dans le miroir. Comme elle était sensible ! Le moindre incident la perturbait. Etait-ce sa très vive intelligence qui la rendait ainsi ? Ou bien avait-elle été émotionnellement secouée par quelque événement de son enfance ou de son adolescence ? Il ne lui avait jamais posé la question.

Elle se leva, ajusta le châle sur ses épaules. Jerry lui prit le bras, caressant au passage sa main délicate. Comme elle était belle ! Il pouvait en être fier ! L'incroyable vivacité que recelait ce jeune visage irlandais était d'une qualité rare.

Pendant le court trajet qui les mena jusqu'à l'hôtel de luxe où avait lieu la réception, Jerry réfléchit à l'importance de la soirée qui allait se dérouler. Elle marquerait sûrement un pas décisif dans la réalisation du projet relatif au B-1. Actuellement, la queue, les ailes et le fuselage de ce bombardier reposaient à même le sol dans un vaste hangar de la base de Palmdale.

— Je crois, dit-il, que nous assisterons ce soir à une superbe empoignade entre partisans et opposants de la défense du territoire.

— Sûrement !

En effet, tout le monde savait que le sénateur Stockwell allait affronter publiquement celle qui, pour lui, personnifiait la déesse de la vengeance : Diane Browning, sénateur de Californie.

— Tu ne m'avais pas prévenue, remarqua Tess, que d'être ton assistante administrative m'entraînerait dans de telles intrigues !

Elle était venue à Rockwell comme membre d'une équipe de techniciens destinés à travailler uniquement sur le projet du B-1. Bien que peu compétente en aéronautique, elle avait les diplômes et les connaissances comptables nécessaires pour prendre en main le département financier que supervisait son mari. Ce dernier reconnaissait volontiers que, sans elle, son travail eût été beaucoup plus difficile. Tous deux formaient un tandem imbattable, lui dirigeant le groupe de dessinateurs qu'il avait sélectionnés, elle s'occupant des détails financiers de l'entreprise, évitant ainsi à son mari de se trouver impliqué dans des problèmes d'argent aux conséquences souvent très graves. Mais autant elle aimait son travail, autant elle détestait les réunions mondaines auxquelles sa nature fraîche et candide ne s'était pas adaptée. Elle regarda son mari, l'air anxieux.

— Si seulement j'étais... un peu moins... empruntée! murmura-t-elle.

— Ne t'inquiète pas. Tu as fait d'énormes progrès, ma chérie. N'oublie pas qu'il y a deux ans à peine, tu sortais tout juste de Harvard après avoir passé de longues années au collège. Il est tout à fait normal que tu n'aies guère l'expérience de la vie mondaine. Mais tu verras : tu t'en tireras à merveille.

Il lui caressa la main, sentant sa détresse.

— J'ai toujours peur de commettre des impairs, dit-elle d'un ton pitoyable.

Elle sentait déjà sa gorge se nouer. Pourquoi fallait-il qu'au lieu de faire un cocktail bon enfant, les autorités de Rockwell aient décidé d'organiser un dîner assis de cent cinquante couverts ? Toutes les personnes les plus influentes du pays, chargées de l'étude du projet, seraient présentes ! Il y aurait tous les officiels de Rockwell, les personnalités en vue de la politique, les fournisseurs. Certains membres éminents de l'Air Force étaient également invités. C'était encore avec eux qu'elle était le plus à l'aise. Les pilotes d'essai, civils ou militaires, lui paraissaient bien inoffensifs comparés aux hommes politiques !

— Si je disparais, tu sauras que j'ai découvert quelque balcon ou terrasse isolés où je me serai réfugiée pour admirer le paysage et échapper à tous ces gens.

Jerry sourit avec indulgence.

A quarante-sept ans, il avait une situation très enviable, obtenue par un travail acharné. Lorsqu'il avait cherché une assistante administrative pour le décharger d'une partie de sa lourde tâche, il avait été très impressionné par Tess. Il en avait fait sa collaboratrice et, peu de temps après, l'avait épousée. Bien qu'une des rares femmes nommées à Rockwell, elle s'était merveilleusement intégrée au groupe de chercheurs qu'il dirigeait et leur collaboration était une parfaite réussite. Il pensait même que, le jour où il serait obligé de partir à la retraite, elle serait capable de le remplacer à la tête du service.

— Il faudra que j'aie une conversation sérieuse avec le sénateur Diane Browning, dit-il distraitement.

— Avec elle, au moins, tu pourras parler amicalement.

— Oui ! Rendons grâces au ciel, elle ne fait pas partie des rapaces qui hantent les couloirs de la politique. De plus, elle milite en notre faveur.

Tess plissa le bout de son nez.

— Et avec le sénateur Stockwell, tu as l'intention de discuter ?

— Il le faudra bien, hélas ! Tu connais les trois vertus cardinales de la politique : souriez, soyez polis et ayez l'air inoffensif !

— Je peux sourire, m'efforcer d'être polie, mais pour ce qui est de prendre des airs...

Fermant les yeux, elle ajouta :

— Saint Patrick, patron de l'Irlande, délivrez-moi de cette meute de loups avec lesquels je vais dîner ce soir. Intercédez pour que je ne fasse pas les frais de leur festin !

Amusé de la voir passer si facilement du sérieux à la plaisanterie, Jerry la rassura.

— N'aie pas peur. Tu es un bien trop petit poisson pour les intéresser. Je crois d'ailleurs que tu devrais profiter de l'occasion pour faire un peu connaissance du milieu militaire. Tu connais à fond les plans du B-1 mais tu n'es pas familiarisée avec les problèmes de la construction de l'appareil ni avec ceux des pilotes qui seront amenés à le tester.

— C'est une bonne idée. Les pilotes d'essai me paraissent bien plus dignes de confiance que les hommes politiques ! Je gagnerai au change.

— Note que, pour la plupart, ils sont très taciturnes. Leur entraînement les habitue à observer en silence. A moins de les faire parler du B-1, tu as neuf chances sur dix de ne pas obtenir grand-chose de leur part.

— On verra bien.

La nuit californienne était chaude pour un mois d'octobre. Jerry escorta fièrement sa jeune femme à travers le hall de l'élégant hôtel des quartiers résidentiels de Los Angeles. Avec l'assurance d'un homme conscient de sa valeur et de la place importante qu'il tenait au sein de la société, il la guida jusqu'aux ascenseurs.

Tess cacha nerveusement ses mains moites dans les plis de son châle, luttant contre la panique qui s'était emparée d'elle aussitôt franchi le seuil de l'hôtel. Mon Dieu, que le campus universitaire lui semblait loin ! La vie y était si facile ! Dès l'instant où elle avait épousé Jerry Hamilton, elle était entrée dans un univers totalement inconnu dans lequel elle craignait de ne jamais se sentir à l'aise.

Le capitaine Shepherd Ramsey s'adossa au mur et parcourut la foule du regard. Sur ses lèvres bien ourlées se dessina un sourire légèrement méprisant. Tous ces gens en tenue de soirée ! Quelle mascarade ! Son uniforme bleu de l'Air Force tranchait parmi les smokings noirs des civils. Il songea avec amusement que la confrontation risquait d'être sévère et les coups de pleuvoir... Entre politiciens et militaires, c'était à prévoir. Il poussa un profond soupir.

10

Qu'était-il venu faire dans cette foule bigarrée ? Les femmes exhibaient leurs bijoux et leurs robes de haute couture... Saint Laurent, Pierre Cardin et d'autres encore que sa femme connaissait bien mieux que lui. Justement, il l'aperçut en grande conversation avec un des collaborateurs du sénateur Diane Browning, sans doute envoyé en avant-garde pour prendre la température de l'atmosphère. Diane Browning devait en effet faire une visite impromptue au cours de la soirée.

Shep porta son verre de scotch à ses lèvres et avala quelques gorgées du liquide doré. Il se demandait ce qu'il trouvait le plus détestable : les collaborateurs des politiciens ou les politiciens eux-mêmes ! Malheureusement, c'était une race de gens dont on ne pouvait nier l'existence.

Le major Tom Cunningham, un autre pilote d'essai, se promenait tranquillement dans la foule. De la même taille que Shep, il avait l'air d'être son frère. Il s'arrêta à la hauteur du capitaine et murmura, avec son accent traînant de l'Arkansas :

— Que penses-tu de ce carnaval ?

— Ennuyeux comme la pluie.

— On dirait de la volaille dans une basse-cour ! Regarde leur manège : les petits font des courbettes aux puissants ! Quelle horreur ! L'intrigue sent si mauvais ici qu'on la reniflerait à cent kilomètres !

— Oui ! Regarde ma femme, Allyson, elle s'y sent comme un poisson dans l'eau.

— Ne la critique pas, mon vieux. C'est sans doute grâce à elle que tu as été admis à l'école des pilotes d'essai. Cela n'a jamais fait de mal à personne d'avoir une femme bien introduite dans les milieux politiques !

Shep fronça les sourcils. Il n'appréciait pas du tout l'idée qu'Allyson ait pu être l'instrument de

11

sa réussite à l'école aéronautique d'Edwards. Le ton persifleur de Tom l'irrita un peu mais il se rappela que son copain avait perdu sa compagne deux ans plus tôt, d'un cancer, et qu'il en était resté terriblement amer. De nature sensible, il s'était réfugié derrière une façade d'homme blasé dont Shep était le seul à connaître les raisons profondes car il était resté à ses côtés pendant toute la cruelle épreuve. Cela avait été pour lui un véritable enfer auquel s'étaient ajoutées les récriminations continuelles d'Allyson, incapable de comprendre pourquoi son mari faisait preuve d'un tel dévouement envers son ami. Ses longues absences la mettaient en rage. Dès lors, leur mariage s'était mis à battre de l'aile.

Ah ! Allyson ! songea-t-il. Allyson ! Belle, à l'aise partout, ambitieuse et si intrigante ! A vingt-huit ans, Shep ne comprenait toujours pas pourquoi il l'avait épousée ! Il aurait dû se contenter d'une simple liaison, comme Tom et Mary dont il avait été tellement heureux de partager le bonheur et la chaleureuse amitié ! Allyson se fâchait toujours lorsqu'il proposait d'aller chez eux. Leur rendre visite de temps en temps, passe encore puisque Tom était son supérieur, mais il ne fallait pas exagérer !

C'était vers la fin de la maladie de Mary que Shep avait compris qu'il n'aimait pas sa femme, en tout cas pas de la façon dont il rêvait d'aimer. L'intimité, la solidarité qu'il voyait chez Tom et Mary, et auxquelles il attachait tant d'importance, lui manquaient dans son propre couple. Il le regrettait amèrement.

Après la mort de Mary, Tom et lui avaient posé leur candidature à l'école des pilotes d'essai et, une fois leur admission enregistrée, Shep avait soupiré de soulagement en voyant les exigences d'un entraînement sévère noyer le chagrin de son ami. Ils s'étaient entraidés sur le terrain comme ils l'avaient fait pendant la maladie de Mary. Maintenant, ils étaient inséparables.

Shep jeta un regard à celui qu'il appelait son frère et un franc sourire éclaira son visage.

— On dirait vraiment un poulailler ! Tu as parfaitement raison !

Cunningham rit malicieusement.

— Pour un citadin, tu en sais des choses ! Dis donc, mon vieux, il paraît qu'on va avoir la visite d'un couple pas comme les autres, ce soir. Browning et Stockwell ! S'ils arrivent en même temps, je crains des étincelles ! Une rencontre entre une femme sénateur favorable à la politique de défense du territoire et un vieux chauviniste antidéfense, cela promet un joli spectacle !

— A mon avis, ce sera l'explosion ! Stockwell a la tête près du bonnet et...

— Ne t'emballe pas. De toute façon, on ne nous demandera pas notre avis, à nous, simples petits pilotes d'essai. J'espère quand même que nos théories politiques auront le dessus. Je meurs d'impatience de mettre enfin la main sur le manche à balai de ce B-1. Pour moi c'est une sorte de jeu. Eh bien oui, monsieur. Piloter ce bombardier est pour moi un vrai défi sportif.

Shep se mit à rire.

— Tu es un gamin, ma parole !

— Ose me dire que tu n'en meurs pas d'envie, toi aussi ! Tu ne me le feras jamais croire. Je connais la jeunesse du sang qui coule dans tes veines. Oui, oui, je sais, tu as l'air froid et distant comme tous les habitants du Maine, mais moi, tu ne me trompes pas. Heureusement que je suis là pour faire tomber cette façade derrière laquelle tu te caches. Allons, détends-toi !

— Les gens du Maine sont censés être indéchiffrables. Ce n'est pas ma faute si tu parviens toujours à me percer à jour.

— Il me suffit, pour cela, de regarder tes yeux ! C'est curieux qu'Allyson n'ait jamais réussi à en faire autant !

C'est parfaitement exact, songea Shep. Allyson passait ses heures à faire des projets d'avenir sans jamais prendre le temps de vivre le moment présent, même s'il était beau ou important. Combien de fois aurait-il aimé partager avec elle la splendeur d'un coucher de soleil ou la magie éblouissante d'une masse nuageuse frappée de plein fouet par les rayons de l'astre levant ! Mais rien de tout cela ne touchait sa femme.

— Dis donc, s'écria Tom en saisissant Shep par le coude, qui est cette ravissante personne qui vient d'arriver ? Mon Dieu ! Je crois que j'en suis tombé amoureux !

Shep regarda vers la porte et, pendant un court instant, eut le souffle coupé. Comme elle était belle, cette jeune femme en robe ivoire délicatement incrustée de dentelle ! Le col montant accentuait l'allure un peu démodée de sa tenue qui contrastait violemment avec celle des autres femmes vêtues de façon moderne et, pour la plupart, tapageuse. Du regard, le capitaine parcourut les courbes gracieuses de sa silhouette, s'attardant sur sa taille cambrée et sur les traits de son visage.

— Zut alors, fit Tom, elle est...

— Merveilleuse, interrompit Shep en se redressant.

Tous les hommes s'étaient retournés pour dévisager l'arrivante. Habitué à observer les moindres détails, il nota une certaine tension dans son comportement. Ses yeux, d'un bleu incroyable, parcouraient l'assemblée d'un regard presque enfantin. Son corps, souple et mince, éveilla en

14

lui une soudaine vague de désir. Quant à ses lèvres pleines et bien dessinées, elles étaient expressives et prometteuses comme un beau fruit mûr. De petites boucles folles jouaient sur son cou de cygne, adoucissant la sévérité de sa coiffure. Pourquoi ce chignon ? Il l'imaginait parfaitement les cheveux défaits, flottant librement sur ses épaules. Et pourquoi s'agrippait-elle si fort au bras de son mari ? Ne se rendait-il pas compte à quel point elle était effrayée et mal à l'aise ?

— Mon chéri...

A contrecœur, Shep détacha les yeux de la frêle silhouette et se tourna vers sa femme. Elle souriait gaiement et son regard brillait d'excitation. Nouant ses doigts aux ongles laqués à ceux de son mari, elle annonça avec enthousiasme :

— Je veux te présenter à quelqu'un.

Puis, jetant un rapide coup d'œil au major, elle ajouta :

— Bonsoir, Tom.

— Comment allez-vous, Allyson ?

— Très, très bien, merci. Dis-moi, Shep, il faut que tu viennes faire la connaissance de Jerry Hamilton et de sa femme, Tess. Il est l'ingénieur en chef chargé du projet B-1 et elle est son assistante. Ce n'est un secret pour personne qu'il lui prépare la voie jusqu'au fauteuil directorial pour le jour où lui-même devra être remplacé au poste qu'il occupe actuellement.

— Vraiment ? Comment le sais-tu ?

Allyson haussa les épaules de manière très éloquente. Sa robe vert émeraude lui seyait à merveille et mettait en valeur les courbes harmonieuses de son corps. Shep la regarda un instant puis porta les yeux sur Tess toujours immobile auprès de son mari. Quelle différence entre les deux femmes ! Le jour et la nuit !

— Tu sais bien, fit Allyson avec satisfaction, que je mets un point d'honneur à connaître les tenants et aboutissants de tout ce qui concerne le B-1. Je mourais d'envie de rencontrer Jerry et, comme tu vas travailler directement sous ses ordres, autant que je te le présente tout de suite.

— Erreur, Allyson ! C'est lui qui est à notre service ! Ne l'oublie pas. C'est un projet de l'Air Force et Rockwell International en est l'entrepreneur !

Elle fit la moue.

— Quelle importance ? Puisque de toute façon vous aurez à collaborer, autant s'en faire un ami, non ?

Shep glissa la main sous le coude de sa femme et se tourna vers Tom.

— A plus tard.

Cunningham sourit poliment, reprenant ses grands airs d'officier.

— A tout à l'heure !

Lorsqu'ils arrivèrent près du couple Hamilton, Tess, sentant venir des étrangers, leva la tête. Son cœur se mit à battre précipitamment quand son regard rencontra, pour ne plus s'en détacher, les yeux gris de l'homme qui se tenait devant elle. Son esprit enregistra aussitôt quelques détails : l'uniforme bleu de l'Air Force, la douceur de ce regard interrogateur qui semblait l'envelopper avec curiosité, l'intense virilité de l'inconnu et sa beauté.

Le voyant sourire, elle desserra les lèvres, comme hypnotisée par la sereine assurance qui émanait de lui. Il avait la prestance d'un aigle, pensa-t-elle, avec son nez aquilin, ses cheveux ambrés, son visage mince et sa silhouette élancée ; un aigle solitaire qui aurait pu l'effrayer, n'étaient ses lèvres délicatement ciselées et bien

16

ourlées et cette espèce de froideur calculée qui venait tempérer la séduction de ses traits.

C'est à peine si elle entendit son nom quand on le lui présenta. Elle tendit automatiquement la main et sentit les longs doigts de l'officier saisir sa paume froide et moite. Il murmura quelques mots, s'inclina sans la quitter des yeux.

— Tess, pourquoi ne tiendrais-tu pas un peu compagnie au capitaine ? demanda Jerry.

Elle cligna des yeux et murmura, la gorge nouée :

— Comment ?

Jerry lui dédia un de ses plus paternels sourires et Allyson lui prit le bras.

— Pourquoi ne parlerais-tu pas du B-1 avec le capitaine Ramsey ? Je suis sûr qu'il sera ravi d'apprendre les progrès accomplis dans le système de défense aéronautique.

D'un air décidé, Shep plaça d'office sa main sous le coude de la jeune femme. Elle ressentit immédiatement l'autorité qui émanait de lui. Pourquoi l'impressionnait-il tellement ? Etait-ce parce qu'il était si différent de Jerry ? L'amour qu'elle partageait avec son mari était calme, dévoué, terne. L'officier, lui, semblait tout balayer sur son passage, évoluer dans un monde de sentiments passionnés qu'elle ne connaissait pas.

Certaine qu'il était parfaitement conscient de l'effet qu'il lui faisait, elle éprouva quelque embarras à se laisser mener adroitement par lui, à travers la foule grouillante, jusqu'au bar. Elle regretta amèrement son manque d'expérience avec les hommes. Que n'avait-elle élargi le cercle de ses relations mondaines ces dernières années au lieu de rester plongée dans ses livres ! Elle ne savait pas comment se comporter devant cet homme dont la proximité agissait sur elle comme un aphrodisiaque, mettant son esprit en déroute.

Et pourtant, comme c'était étrange ! Elle se sentait en parfaite sécurité avec lui ! Il semblait savoir instinctivement comment lui donner confiance en elle.

— Voulez-vous boire quelque chose ? demanda-t-il en se penchant vers elle, le visage soudain aussi mobile et ouvert qu'il avait été distant et froid un moment auparavant.

Avec un sourire nerveux, elle répondit tout bas :

— Je... oui... excusez-moi... Je ne voudrais pas paraître trop étourdie... C'est simplement que je...

Il hocha la tête avec compréhension et lui serra le bras.

— Vous n'êtes pas à votre place ici ! Attendez-moi près de la porte-fenêtre qui donne sur la terrasse. Je vais vous chercher un verre.

— De vin, articula-t-elle en rougissant.

Il perçut l'incertitude de sa voix et pensa que ce petit être aux yeux confiants et aux lèvres pulpeuses avait besoin de protection. Il était prêt à lui accorder la sienne.

— Pourquoi pas du champagne ?

Elle rit doucement.

— Oh non ! Il me monte à la tête.

— Bon, alors, pas de champagne ! Je reviens à l'instant.

Tess le regarda s'éloigner et sentit ses genoux trembler. Etait-ce à cause du capitaine Shepherd Ramsey ou parce que les gens réunis ici l'impressionnaient par leur puissance ? De toute façon, il fallait qu'elle se ressaisisse.

Ramsey s'avançait vers le buffet, telle une panthère se frayant tranquillement un passage à travers la jungle des invités. Tête haute, allure fière et distante, son calme stupéfiait Tess. Tous les pilotes d'essai étaient-ils doués de ce charme ?

Elle respira profondément, heureuse et soudain détendue. Il s'occupait d'elle... elle était en sûreté.

Chapitre 2

— Je pensais qu'à une réunion de cette importance, il y aurait au moins un choix de vins, fit
Shep en tendant avec un air d'excuse un verre de
champagne à Tess. On veillera à ce que vous ne
rouliez pas sous la table, ajouta-t-il avec un
sourire taquin.

Leurs doigts s'effleurèrent et il sembla à la
jeune femme que l'officier hésitait avant de
retirer sa main. Une agréable sensation de chaleur la parcourut.

— C'est parfait, s'entendit-elle répondre. Je
me contenterai de tenir bien sagement le verre
devant moi. Ainsi tout le monde croira que je
bois !

— Ah ! Je vois ! On fait semblant !

Il ouvrit la porte-fenêtre et lui prit le bras pour
la conduire sur le balcon.

— C'est une bonne tactique, d'ailleurs.

S'appuyant contre la balustrade toute chaude
de soleil, il contempla la vallée de Los Angeles
scintillant de toute la splendeur de ses mille feux.
Il aurait aimé lui tenir le bras plus longtemps
mais, se souvenant de cette crainte qu'il avait lue
dans ses yeux lors des présentations, il laissa
retomber sa main le long de son corps. Avait-elle
vraiment peur des hommes ? Un coup d'œil à ses

20

traits juvéniles lui donna immédiatement la réponse.

— Appelez-moi Shep, murmura-t-il.

Puis, d'une voix où perçait l'amusement, il poursuivit :

— Vous ne sauriez donner le change très longtemps ! Vos yeux vous trahissent.

Elle but une gorgée de champagne et le regarda avec défi. Mon Dieu, comme il était près d'elle et comme il avait vite fait de la percer à jour !

— Jerry m'a répété mille et mille fois qu'il fallait, en toutes circonstances, garder un visage impassible.

— Pourquoi cela ?

Shep ne comprenait pas les raisons qui poussaient Jerry à priver sa femme de sa spontanéité juvénile. Il regarda son joli visage où s'inscrivaient de fugitives émotions. Sa peau était lisse, couleur de pêche, parsemée de taches de rousseur sur le nez et les joues. Il nota avec plaisir qu'elle se maquillait peu, preuve que, malgré son manque de confiance en elle-même, elle ne craignait pas d'afficher une certaine individualité.

— Les assistantes administratives sont censées contrôler avec fermeté toutes les situations et doivent, pour cela, maîtriser leur corps, leur langage et l'expression de leur visage, récita-t-elle.

Shep éclata de rire.

— Ma foi, si ce n'est pas une diplômée de Harvard que j'entends parler, je veux bien être pendu !

A son tour, Tess se mit à rire. Comme elle aimait sa gaieté naturelle !

— Tous les pilotes d'essai sont-ils aussi intuitifs que vous, Shep ?

— Parce que vous croyez que nous sortons tous

21

du même moule ? Depuis combien de temps êtes-vous à Rockwell ?

— Deux ans. J'y suis venue tout de suite après avoir obtenu mon diplôme à l'université de Harvard.

— Ah ! Qu'est-ce que je disais !

— Oui, vous aviez raison. Je suis diplômée de cette grande école. Si ce n'est pas par intuition que vous l'avez appris, c'est que vous savez lire dans ma pensée.

— Exactement ! Ce n'est d'ailleurs pas difficile !

Comme il était aisé de déchiffrer ce petit bout de femme, songea-t-il. Il fallait même se méfier de ne pas devenir trop familier... la tentation était grande de la taquiner gentiment !

— Puis-je vous poser une question très personnelle ? demanda-t-il.

Soudain grave, elle le regarda un long moment avant de lui répondre d'une voix tremblante.

— Si vous voulez.

— Votre famille est-elle irlandaise ?

Tess poussa un soupir de soulagement. Sur ce terrain-là, elle n'avait pas de pudeur à avoir. En aurait-elle eu s'il lui avait demandé quelque chose de plus intime ?

— Cent pour cent ! Mes arrière-grands-parents viennent d'un petit village d'Irlande du Sud.

— Le pays des pêcheurs et de la culture des pommes de terre, n'est-ce pas ?

— Oui, et celui où l'on trouve les meilleurs pur-sang du monde. Il y a beaucoup de ressources dans ma patrie d'origine !

Tess vida son verre et le posa sur le rebord du balcon. Ils contemplèrent en silence le panorama qui se déroulait devant eux.

— Los Angeles est immense, murmura-t-elle. Comme j'aimerais habiter la campagne !

22

— Vous êtes femme à préférer fouler la bonne terre de vos pieds nus plutôt que de chausser des souliers vernis pour assister à des réceptions comme celle-ci !

Elle fit une petite moue.

— Oui, et je n'aime pas non plus me coiffer avec un chignon mais Jerry déteste que je me fasse des nattes. Il dit que cela me donne l'air d'une paysanne.

— Et alors ? Moi, je vous imagine beaucoup mieux en tenue décontractée qu'en vêtements de haute couture !

— C'est vrai ! Mais comment le savez-vous ?

Il porta son verre de scotch à ses lèvres.

— Quel âge avez-vous, Tess ? Vous permettez que je vous appelle par votre prénom ?

Elle tressaillit légèrement en entendant pour la première fois ses lèvres prononcer son prénom.

— Bien sûr, dit-elle. J'ai horreur de faire des manières. J'ai vingt-quatre ans.

— Exactement ce que je pensais.

— Que voulez-vous dire ?

— Simplement que vous avez dû passer le plus clair de votre temps dans la tour d'ivoire des petites puis des grandes écoles sans avoir jamais l'occasion de vous mêler à la vie mondaine. Vous avez obtenu vos diplômes à vingt-deux ans, ce qui implique que vous avez sauté quelques classes. Donc, vous n'avez pas eu une jeunesse normale et insouciante.

— Voilà qui est puissamment raisonné ! fit Tess. Aussi loin que remontent mes souvenirs, je me revois à l'école. J'avais à peine deux ans quand mes parents se sont aperçus que j'étais d'une intelligence supérieure à la moyenne. Dès lors, il n'a plus été question que de développer mes dons.

— Ne le regrettez pas et ne vous en excusez

pas, Tess ! Bien que femme, vous êtes effectivement très intelligente.

— Comment cela, « bien que femme » ? Vous êtes antiféministe, capitaine ?

— Pas du tout. Nous avons des femmes dans tous les départements de l'Air Force et il est même question d'en avoir comme pilotes d'essai. Non, non, au contraire... je suis un fervent partisan des droits de la femme. Allez, on fait la paix ?

Tess éclata d'un rire perlé.

— D'accord !

Captivé par sa gaieté et son charme sans apprêt, Shep l'enveloppa d'un regard chaleureux. Que faisait-elle ici, petite fleur au milieu du désert ? Son mari essayait-il de la transformer en quelqu'un comme Allyson ? Cette pensée le glaça. Etait-il juste de la dépouiller de son naturel ? de ce rire léger ? de cette étincelle au fond de ses grands yeux bleus ? Non, se dit-il avec une espèce de désespoir. Mais que pouvait-il pour elle ? Elle était mariée, lui aussi. Il eut l'impression tout à coup qu'on lui plongeait un couteau dans le cœur : Tess était exactement la femme qu'il avait ardemment désirée toute sa vie.

— Shep... ?

— Oh... Excusez-moi... je réfléchissais.

— A quoi ?

Il ne répondit pas, laissant son regard se perdre au loin dans la nuit scintillante de Los Angeles. Elle se rapprocha de lui. Etait-elle consciente de ce qu'elle faisait naître en lui ? Non, voyons, son petit visage inquiet témoignait de sa parfaite innocence. Il se força à rester calme.

Elle tendit la main et lui effleura le bras.

— Je sais, dit-elle, vous pensez au B-1 et vous craignez qu'on ne puisse tenir l'engagement de procéder au premier vol en juin. Je parie que

24

vous mourez d'impatience de vous trouver aux commandes de ce bombardier.

Il lui sourit, essayant de ne pas réagir trop visiblement à la caresse de sa main. C'était comme si un papillon était venu se poser sur sa peau. Son imagination l'entraînait malgré lui : que serait-ce d'embrasser ses lèvres si fermes, si pleines ? De serrer son buste gracile ? Il devinait que son mari ne lui avait jamais fait découvrir toutes les ressources de son corps charmant...

Il fit un effort pour mettre un frein au désir qu'il sentait monter en lui.

— Si j'ai bien compris, répondit-il distraitement, le contrat vient d'être signé ?

— Oui. Mais je présume que les essais de vol qui auront lieu en mars prochain vous intéressent davantage...

— En effet. C'est seulement après cette épreuve que nous aurons enfin l'autorisation de placer les moteurs définitifs sur le bombardier.

Il se rendit compte soudain qu'il parlait d'une voix morne et lointaine. L'avait-elle remarqué ? C'est qu'il était à cent lieues du sujet et désirait discuter avec elle de mille choses sauf de technique ! Il avait envie de connaître son passé, de savoir ce qu'elle aimait, ce qu'elle détestait... mais, avant qu'il ait pu formuler la moindre question, leur conversation fut interrompue par l'annonce du dîner. Shep glissa un bras autour de la taille de la jeune femme et la ramena vers la porte-fenêtre.

— Merci d'avoir passé ce moment avec moi, murmura-t-il avec sincérité.

Elle le regarda. Il était incroyablement séduisant dans la lumière tamisée du soir. Les galons d'argent brillaient sur ses larges épaules. Le poids de sa main sur sa taille ne lui paraissait pas déplacé tout comme elle trouvait naturel de marcher à son pas et de laisser monter en elle ce chant de gratitude qui la transfigurait.

— J'ai l'impression qu'on a beaucoup de points communs, dit-elle. Vous n'aimez pas plus que moi ces réceptions bruyantes, bien que vous y soyez plus à l'aise. Mais vous préférez sûrement la compagnie de quelques bons amis ou de votre famille.

Il l'avait conduite jusque dans la salle à manger. A contrecœur il lui lâcha la taille.

— A votre tour, vous lisez dans mes pensées, répondit-il, l'œil pétillant de malice.

Elle rougit. La douceur presque intime de sa voix agissait sur elle comme une caresse. Que lui arrivait-il ? Une impression de confusion mêlée d'excitation l'envahit.

Brusquement, une bousculade se fit parmi les invités qui se précipitaient en désordre vers la porte d'entrée. Shep et Tess, dressés sur la pointe des pieds, virent arriver le sénateur de Californie, Diane Browning. Elle entra, suivie d'un groupe de collaborateurs, de photographes de télévision et d'autres gens qui s'agglutinaient sur son passage. Belle, hautaine, la démarche un peu guindée, elle avançait tel un navire affrontant la haute mer.

— Jerry me parle souvent d'elle, dit Tess. Personnellement, je ne l'ai jamais rencontrée. Elle est superbe, n'est-ce pas ?

Shep sourit intérieurement. Tess ne voyait que la grande silhouette élégante, les cheveux blonds relevés en chignon, sans remarquer le menton carré qui donnait un air autoritaire et dur à cette femme de grande notoriété.

— Elle vous ressemble un peu, fit-il en riant.

— Ah ! Capitaine, maintenant je suis sûre que vous flirtez !

— Parce que je viens de vous faire un compliment ? Eh bien, pour vous punir, je vais en rajouter : vous êtes beaucoup plus belle que le sénateur Diane Browning !

Tess rougit violemment, incapable de soutenir le regard des doux yeux gris posé sur elle. Instinctivement et malgré sa remarque taquine, elle savait que Shep Ramsey n'était pas du genre à flirter au hasard d'une rencontre.

— Je suppose que vous m'avez dit cela parce que nous portons toutes les deux le même chignon ! Cela fait plus sérieux et incite les hommes à nous respecter.

— C'est sur les bancs de Harvard que vous avez appris ces beaux principes ?

— Non ! Par mes propres moyens ! répondit-elle avec un sourire malicieux.

Shep regarda la lumière jouer dans le cuivre de ses cheveux. L'envie le prit d'enlever les épingles qui retenaient prisonnière l'opulente toison et de la laisser flotter librement sur ses épaules.

— Quel dommage ! Vous seriez irrésistible avec une coiffure floue !

Le cœur de Tess bondit. Une sonorité un peu rauque dans la voix du capitaine la rendait délicieusement consciente de sa féminité. Jamais, même dans les bras de son mari, elle ne s'était sentie aussi désirable. Elle s'en effraya et s'éloigna légèrement.

— Je crois qu'il est temps pour moi d'aller rejoindre mon mari. On va nous indiquer nos places à table.

Shep sentit qu'il l'avait mise mal à l'aise.

— Il me semble l'apercevoir là-bas avec ma femme. Je vous y conduis.

Allyson dédia à son époux un sourire vainqueur, sans déplacer la main qu'elle avait posée sur le bras de Jerry Hamilton.

— Mon chéri, s'écria-t-elle, Jerry et moi avons eu la plus merveilleuse des conversations.

— Je n'en doute pas, fit Shep en s'inclinant devant Hamilton.

Il vit Tess s'immobiliser sagement à côté de l'ingénieur. La différence entre eux était énorme. Jerry avait l'air beaucoup plus âgé qu'il ne l'était réellement. Ses cheveux étaient déjà gris et son visage profondément marqué par les soucis que lui donnaient ses responsabilités, sans doute. Tess paraissait si jeune... silhouette juvénile et minois innocent. Shep se sentit brusquement infiniment désireux de partager ses futures découvertes... peut-être même de les provoquer. Vite, il enferma cette idée au plus profond de son cœur et nota la transformation qui s'était opérée chez la jeune femme dès qu'elle avait retrouvé son mari : vive et enjouée quelques minutes plus tôt, elle était redevenue l'ombre silencieuse et soumise à cet homme mûr.

— Il paraît, capitaine, que vous avez une place d'honneur ! Vous êtes assis à la droite du sénateur Stockwell !

Shep pinça les lèvres et regarda Allyson avec soupçon.

— De toute façon, je n'ai pas faim, dit-il sèchement, sans laisser paraître ses véritables sentiments.

Il ne manquait plus que cela ! Stockwell avait combattu le projet B-1 dès sa conception. Tenu d'assister au dîner parce qu'il avait lieu dans sa circonscription, il n'en serait certainement pas plus aimable, d'autant que son adversaire politique, Diane Browning, serait présente.

— Etes-vous sûr qu'il n'y a pas une erreur dans la disposition des tables ? demanda Tess, l'air contrarié.

Touché de sa sollicitude, Shep la regarda. Elle

était assez sensible pour ressentir l'incongruité de placer un militaire à côté de l'homme le plus antimilitariste qu'on ait jamais vu. De plus, il considérerait certainement comme une insulte d'être assis auprès d'un simple capitaine et non d'un général en chef. Qui avait bien pu commettre cet impair ?

— Je doute fort que ce soit une erreur, Tess, dit-il froidement. Mais en tout cas, je vous remercie de vous en préoccuper.

— Sans doute a-t-on pensé que vous aviez l'envergure nécessaire pour affronter la situation ! déclara Hamilton.

— Franchement, monsieur, j'aimerais cent fois mieux être aux commandes d'un avion en perdition !

— Si j'étais à votre place, je penserais de même, repartit Jerry avec un sourire. Bonne chance quand même, capitaine. Ah... je voulais vous dire que je suis très impressionné par vos états de service. Votre charmante épouse m'a raconté toute votre carrière. Je suis certain que nos techniciens de Rockwell sont impatients de se mettre au travail avec vous et vos collègues.

Le dîner fut pour Shep un long cauchemar. Il essaya vaillamment de discuter avec le sénateur. Quand le repas fut terminé et que, par petits groupes, les convives allèrent poursuivre leurs conversations autour d'une tasse de café, Shep eut la surprise de voir Hamilton et sa femme venir vers lui.

— Capitaine Ramsey ?

— Oui, monsieur ?

— Figurez-vous que Tess n'a pas encore vu le prototype du B-1 à votre base de Palmdale. Puisqu'elle est mon assistante, elle aurait besoin d'être initiée à ses secrets. Disposeriez-vous de quelques heures pour l'instruire la semaine prochaine ? Elle connaît les plans de l'appareil mais ne sait rien de leur réalisation. Qu'en dites-vous ?

— Ce serait un honneur et un plaisir.

— Merci beaucoup. Puis-je vous confier mon épouse pendant quelques minutes, le temps que je parle au sénateur Diane Browning ? Tess, je reviens te chercher dans un instant.

Tess ouvrit la bouche pour répondre, mais aucun son ne sortit de ses lèvres. Elle se sentait vaguement perturbée par la présence de Shep. Malgré cela, elle lui sourit.

— Vous avez l'air d'un chat qui vient d'avaler un canari ! fit-elle en riant.

— Il y a de quoi ! Je cherchais justement un moyen de vous revoir avant de quitter cette réception et voilà que...

Il glissa la main sous son bras et l'emmena vers le balcon.

— Un peu d'air frais ?

Tess hésita.

— Je...

— Comment ? Ma jeune amie irlandaise a peur ? Allons, détendez-vous, je ne vais pas vous manger. Je suis heureux d'être avec vous, c'est la seule chose qui compte.

— Toutes les femmes d'origine gaélique ne sont pas forcément braves ! Il y en a, dans mon genre, qui s'effraient d'un rien.

— Vous manquez de confiance en vous, répondit Shep en franchissant avec elle la porte-fenêtre. Je suis certain qu'en cas de danger, vous ne vous conduiriez pas du tout comme une poule mouillée.

— Pourquoi me dites-vous cela ?

— Parce que cela se voit à votre comportement. Vous avez une allure fière et naturelle. Vous marchez les épaules rejetées en arrière et le menton relevé. Une personne timorée a tendance à se voûter et à baisser les yeux. Vous, vous regardez droit devant vous. Je comprends les raisons qui ont poussé votre mari à vous choisir comme collaboratrice. Vous avez une énergie que bien peu de femmes possèdent.

Elle rougit.

— Je ne comprends pas comment on peut me trouver autant de qualités que je ne me connais pas du tout, fit-elle ingénument. Etes-vous certain que les pilotes d'essai ne sont pas d'irréductibles romantiques ?

— Peut-être que si... en un sens... Ils se considèrent parfois comme des êtres à part, capables de forcer une machine à peine ébauchée à donner son maximum. Il y a là un certain idéalisme... ou du romantisme si vous préférez... Il y en a aussi dans le fait d'accepter son destin si on ne réussit pas !

Cette dernière remarque fit frissonner Tess. Elle regarda gravement le capitaine. Qu'est-ce qui poussait ces hommes à risquer leur vie ? Souhaitaient-ils mourir ? Etaient-ils possédés d'une passion héroïque et inconscients au point d'avoir envie de risquer leur vie pour repousser les frontières du possible ? Une frayeur inexplicable la saisit. Elle ne pouvait imaginer Shep s'écrasant au sol avec son appareil en flammes. Il y avait en lui quelque chose de trop puissant, de trop vivant... L'idée qu'il pût rencontrer la mort, comme beaucoup de pilotes, aux commandes d'un avion devenu ingouvernable, lui paraissait infernale, impossible. Elle la chassa rapidement de son esprit et se força à sourire.

— D'après le peu que je sais de votre carrière, j'imagine que les pilotes d'essai aiment être surpris par l'inconnu et s'y mesurer. Ainsi, tant que votre B-1 n'aura pas pris l'air, vous ne connaîtrez rien de lui, malgré les plans, les études et les calculs !

Il la regarda, étonné. Elle parlait son langage ! Et avec quelle facilité !

— J'ai du mal à faire coïncider votre ravissante image avec le sérieux des paroles qui sortent de votre bouche. D'un côté vous avez l'air d'un ingénieur et de l'autre, vous êtes une femme des plus romantiques, sortie de l'imagerie irlandaise !

Gênée par le ton de sincérité qu'il avait mis dans ces paroles, elle baissa la tête.

— Je vous en prie ! fit-elle.

Il s'approcha d'elle, une expression troublée dans les yeux.

— Vous ne savez même pas comment recevoir un compliment ! Vous êtes si... fraîche... si... Oh ! Mon Dieu !

Il lui caressa la joue et glissa un doigt sous son menton, l'obligeant à le regarder.

— Tess, ne me dites pas qu'aucun homme ne vous a jamais fait de compliments !

Il aurait dû enlever sa main et cesser de toucher sa peau veloutée, si sensuelle qu'elle le faisait trembler d'excitation.

Tess retint son souffle, intensément consciente des instants qui passaient. Elle sentit la main de Shep la forcer à relever complètement la tête pour rencontrer ses lèvres. Un mélange de confusion et de désir la secoua violemment. Ses yeux s'assombrirent. Shep s'aperçut qu'elle frissonnait et lut la frayeur dans ses grands yeux troublés. Tendrement, il l'attira à lui, cherchant à effacer toute crainte en elle.

Son souffle était chaud contre la joue de la jeune femme. Elle plongea son regard dans le sien tandis que son cœur battait douloureusement dans sa poitrine. Il effleura légèrement ses lèvres, qui s'entrouvrirent doucement. Un frisson la saisit et elle laissa échapper un petit cri.

Tu ne devrais pas te laisser faire, lui répétait une voix intérieure, mais elle tressaillait sous la chaleureuse caresse. Avant qu'elle ait pu s'écarter de lui, il pressa sa bouche contre la sienne comme s'il voulait se lier à elle pour toujours. Heureuse et passionnée, elle s'abandonna à son étreinte.

Une ombre figée près de la porte du balcon se déplaça sans faire de bruit, regagna doucement le hall où la plupart des invités se préparaient à partir. L'homme avait vu ce qu'il voulait voir et s'en servirait le moment venu. Oui ! enfin, Tess et Jerry Hamilton étaient à sa merci. Il ne restait plus qu'à bien choisir l'occasion de divulguer ce à quoi il venait d'assister. Il n'y manquerait pas.

Chapitre 3

— Tess, n'as-tu pas rendez-vous avec le capitaine Ramsey aujourd'hui ? demanda Jerry en jetant un coup d'œil à sa montre. Si tu veux être à l'heure pour le déjeuner, il faut te dépêcher.

Immobile devant la fenêtre, Tess regardait la ville noyée dans le brouillard. Elle avait fait un effort, en ce lundi matin, pour venir au bureau. Elle avait passé, seule, le dimanche dans leur maison de Beverly Hills pendant que Jerry, comme d'habitude, travaillait à Rockwell. Ce matin elle se sentait dolente et mal à l'aise. Elle n'avait fait que revivre les instants fatidiques où elle s'était retrouvée dans les bras du bel officier, se reprochant amèrement de s'être laissé embrasser, persuadée que cette faute ne lui serait jamais pardonnée. Pourtant, son cœur assoiffé de tendresse s'était senti si désaltéré, si léger !

— Tess ?

— Comment ?... Oh ! Excuse-moi, Jerry, je réfléchissais...

Il leva la tête, abandonnant un instant les plans et calques du B-1 étalés sur son bureau.

— Comme tu es nerveuse ! Tu n'as cessé de te tourner et te retourner toute la nuit. Qu'y a-t-il, ma chérie ?

34

Le cœur de Tess se serra d'angoisse. Elle se força à sourire.

— Je ne me sens pas très bien... Je crois que je devrais annuler ce rendez-vous... Je...

— Tu as besoin de sortir, de t'aérer ! J'ai toujours redouté pour toi la vie sédentaire. Tu es une fille des champs et des forêts. Un peu de soleil redonnera des couleurs à tes joues pâles.

Il l'observa attentivement.

— Tu as très mauvaise mine, Tess. Je t'en prie, va te promener à Palmdale, cela te fera le plus grand bien. Je t'accompagnerais volontiers, mais j'ai des rendez-vous tout l'après-midi. Je n'aurai même pas le temps de discuter avec toi de ce contrat que tu as pris en charge. On en parlera ce soir.

Avec une petite moue de reproche, Tess s'approcha de lui.

— Tu travailles beaucoup trop, mon chéri, tout le monde te le dit. Quatre-vingts heures par semaine, c'est de la folie. Quatre à cinq heures de sommeil par nuit, ce n'est pas assez. Tu vas ruiner ta santé.

Elle tendit la main et lui caressa gentiment la nuque.

— S'il te plaît, viens avec moi. Montre-moi le B-1 toi-même. Ramsey sera notre guide à tous les deux.

Sa voix avait un accent désespéré. Elle insista encore :

— Je t'en prie, fais cela pour moi !

Jerry sourit, glissa un bras autour de sa taille et la serra contre lui.

— L'offre est tentante ! Ah ! Ma Tess, comme je t'aime ! Je voudrais te faire ce plaisir, mais malheureusement les réunions de cet après-midi ne peuvent se dérouler sans moi. Alors, dépêche-toi ! Il y a deux heures de trajet en voiture d'ici à

Palmdale. Je tiens absolument à ce que tu voies ce fameux bombardier.

La bouche sèche et la gorge nouée, Tess pénétra dans le restaurant de Palmdale, aperçut Shep et se figea. La lumière jouait sur son visage tandis qu'il se dirigeait vers elle, aigle solitaire au regard pénétrant, viril, mince, superbe dans son uniforme ajusté. Il s'arrêta à quelques pas d'elle, essayant de déchiffrer l'expression de son visage. Elle l'observa en silence. A quoi pensait-il ? Allait-il tenter de l'embrasser de nouveau ? Son cœur se mit à battre la chamade et la panique l'envahit rien qu'à y songer. Non, cela n'arriverait pas, elle saurait bien l'en empêcher.

— Tess ? murmura-t-il.

Elle fondit au son de sa voix et dut lutter contre une furieuse envie de pleurer.

— Je ne voulais pas venir, avoua-t-elle brusquement. Je me sentais coupable et j'avais peur de moi-même, de ce que je ressens... On n'aurait pas dû... Oh ! Shep, je ne peux vivre avec l'idée que j'ai trompé Jerry ! Je...

Il lui prit le bras et la conduisit dans la pièce voisine.

— Asseyez-vous, Tess. Il faut que nous parlions sérieusement. Buvez quelque chose d'abord, cela vous fera du bien. Vous êtes pâle comme la mort.

Elle prit à deux mains le verre qu'il lui tendait, but deux gorgées de vodka et se sentit moins nerveuse. Assis devant elle, Shep demeurait silencieux. Lorsqu'elle leva la tête et rencontra son regard chaleureux, elle vit un sourire se dessiner sur ses lèvres.

— Ça va mieux ?

— Oui, murmura-t-elle.

— Je vous dois des excuses, Tess. Je me suis laissé aller... J'aurais dû me contrôler l'autre soir.

J'ai beaucoup de choses à vous dire mais... c'est difficile... Vous êtes mariée et...

— Oui, en effet, répondit-elle d'une voix tremblante, et j'aime mon mari, Shep ! Je n'arrive pas à comprendre pourquoi je vous ai laissé m'embrasser. Pour l'amour du ciel, ne recommencez pas... J'ose à peine me regarder dans la glace. Si Jerry savait...

— Voyons, cessez de vous sentir coupable. Personne ne nous a vus et, de toute façon, un baiser, ce n'est pas la fin du monde !

Il la regarda, inquiet.

— Je suis vraiment désolé de vous avoir bouleversée. Je n'en avais pas l'intention, je vous le jure.

Tess sentit des larmes glisser le long de ses joues. Elle les essuya du revers de la main.

— Je veux voir le B-1 et m'en aller le plus vite possible !

Comment aurait-elle pu lui confesser que son cœur désirait ardemment retrouver l'émotion qu'il avait éveillée en elle, mais que son esprit le lui interdisait ?

— Vous croyez que la fuite réglera la situation, Tess ? Ce n'est pas si facile ! Vous n'ignorez pas que nous allons devoir nous rencontrer très souvent à l'avenir à cause du bombardier. Vous ne pouvez donc pas vous contenter de fermer les yeux et de faire l'autruche. Moi non plus, d'ailleurs. Ce qui est arrivé, nous devons l'assumer. Je vous promets de ne pas rendre la situation plus embarrassante qu'elle ne l'est, mais il va falloir que vous luttiez contre ce sentiment de culpabilité tout à fait exagéré. Autrement, vous serez déchirée.

Il fronça les sourcils devant l'angoisse contenue dans son regard. Comment pouvait-il oublier un instant qu'elle était encore aussi naïve qu'une enfant ? Il eut honte tout à coup de lui avoir fait du mal, bien involontairement. Elle était l'incarnation de la sensibilité et appartenait à un monde spirituel auquel il avait toujours rêvé d'appartenir.

— Allons, Tess, du courage ! Videz votre verre et allons voir ce bombardier que vous contribuez à construire.

Elle regarda les doux yeux couleur de cendre claire et une chaleur l'envahit, chassant momentanément tout autre sentiment. Un sourire se dessina sur ses lèvres.

Shep la conduisit à l'intérieur d'un vaste hangar où se trouvait le premier prototype du B-1. Des ouvriers, grimpés sur des échafaudages, s'affairaient de tous côtés.

— Comparé au B-52, le B-1 ressemble à une bête de course, dit le capitaine.

Tess hocha la tête et admira l'avant effilé de l'appareil, la masse du cockpit et la forme aérodynamique du fuselage.

— A mon avis, il a plutôt l'aspect de Concorde, bien que les courbes en soient plus élégantes.

— Concorde est dessiné pour voler à une vitesse deux fois supérieure à celle du son tandis que celui-ci est un avion subsonique.

— Vous l'aimez, n'est-ce pas, Shep ?

— Comme dit mon ami Tom, tous les pilotes sont amoureux de leur avion !

Tess éclata de rire.

— Quand on pense qu'il y a plus de trois mille traitants et sous-traitants qui travaillent à la réalisation de ce projet, c'est impressionnant, dit-elle.

— Oui, et je dois avouer que je préfère cent fois être aux commandes que d'avoir à discuter avec les industriels. Mes cheveux blanchiraient avant l'âge.

Le regard de Tess s'assombrit.

— Je le sais par expérience, hélas ! Jerry est en rapport continuel avec eux. C'est beaucoup trop dur ! Il est éreinté.

— Votre mari jouit d'une grande influence à Rockwell. Je suis sûr que cela lui donne énormément à faire. Mais vous n'appréciez pas le prestige qu'il en retire ?

Il pensait en son for intérieur : Allyson serait aux anges à votre place !

Tess haussa les épaules.

— L'argent n'est pas la seule chose qui compte ! Evidemment, on ne saurait s'en passer mais, franchement, il y a des moments où je regrette mes jeans et mes nattes.

— Et les promenades en forêt, n'est-ce pas ?

Elle leva la tête, étonnée :

— Comment le savez-vous ?

— Quand on a des taches de rousseur, c'est signe qu'on aime le plein air !

Tess baissa les yeux. Elle se sentait inexorablement attirée par lui comme un papillon par la flamme. Jetant un coup d'œil à sa peau bronzée, elle répliqua.

— Vous aussi, vous êtes un homme de plein air !

— Ah ! Mes origines se voient donc tant que cela ? Vous avez raison, je suis un paysan du Maine.

— Je comprends pourquoi votre visage est toujours si impénétrable ! Comme tous les gens de cette région, vous n'aimez pas qu'on connaisse le fond de votre pensée, n'est-ce pas ?

— Euh... fit-il, légèrement décontenancé, il est vrai que Tom me taquine souvent sur ce point. Il me dit que je suis trop sérieux.

— Le sens des responsabilités qu'on a en Nouvelle-Angleterre ?

— Exactement. Etes-vous sûre de ne pas lire en moi comme à livre ouvert ?

Tess sourit.

— Non. J'additionne simplement deux et deux. J'ai eu l'occasion, à Harvard, de fréquenter beaucoup de jeunes qui avaient ce même regard sévère. Presque tous étaient issus de familles pauvres et avaient dû jouer des coudes pour réussir. Vous aussi ?

— Euh...

Tess sentit son hésitation. Il répugnait visiblement à parler de son passé.

— Excusez-moi, dit-elle. Je suis indiscrète.

— Non, non... pas du tout.

Il réfléchit longuement. Qu'est-ce qui la poussait à fouiller son passé ? Avait-elle un but, comme Allyson qui ne faisait rien sans calcul ? Non... il suffisait de regarder ses grands yeux bleus pleins d'innocence pour comprendre que seule une curiosité amicale l'avait amenée à lui poser ces questions.

D'une voix calme, il répondit :

— Je suis d'une famille pauvre, en effet. J'étais l'aîné de six. Mon père était cultivateur dans le Maine. A la suite de problèmes de santé, il a dû abandonner petit à petit son travail et, à l'âge de onze ans, j'ai travaillé à l'exploitation. Ma mère était trop fragile pour m'aider... Je n'ai d'ailleurs jamais compris comment elle avait pu mettre six enfants au monde !

— Vous avez assumé leur éducation, je suppose.

— Oui. J'étais comme un second père pour les plus jeunes. Maman comptait sur moi pour les faire obéir.

— Pas étonnant que vous souriiez si peu ! murmura Tess. Cela a dû être une période très pénible.

40

— Très, mais cela m'a permis de découvrir, dès mon plus jeune âge, que je pouvais faire des choses dont je ne me serais jamais cru capable.

— C'est pour cette raison que vous êtes entré dans l'Air Force ?

— Disons plutôt que je ne souhaitais pas passer le reste de mes jours à cultiver des pommes de terre dans un sol pauvre et dans de mauvaises conditions climatiques. J'avais vu ce qu'une telle vie produisait chez mes parents et je souhaitais un sort meilleur.

Tess voyait Shep sous un jour nouveau. Cette fierté qu'il affichait et qui pouvait parfois irriter était le fruit de ses efforts et de la conscience d'avoir fait son chemin seul, sans l'aide de personne.

— Je vous admire, murmura-t-elle.

— Oh ! Ne vous laissez pas impressionner, répondit-il gravement. Je n'avais pas le choix ! C'était réussir ou mourir de faim !

Il lui prit le bras et la guida hors du hangar. Dehors, le vent soufflait violemment, entraînant un nuage de grains de sable en tourbillons déchaînés. A l'intérieur de la voiture, dont il ouvrit la portière pour Tess, il faisait bon et chaud. Elle s'adossa au siège et ferma les paupières.

— Mais pourquoi avez-vous choisi l'Air Force ? Pourquoi pas l'industrie ? Vous aviez toute l'énergie et l'enthousiasme nécessaires pour faire ce que bon vous semblait ?

Il posa la main sur le volant et demeura songeur.

— Quand j'étais dans les bois, à guetter le cerf, je restais parfois des heures immobile, juché dans un arbre, à regarder les oiseaux. Plusieurs aigles avaient fait leur nid près de chez moi et j'observais leurs va-et-vient. Ils étaient libres,

Tess, libres de s'élever au-dessus de tout, au gré de leur fantaisie. C'est cette liberté-là que je voulais ! J'avais envie de prendre mon essor, de planer, de sentir le vent me porter, me faire glisser, tourner, plonger et ensuite, de remonter droit vers l'azur, comme eux.

Sa voix était devenue presque inaudible, comme s'il revivait un rêve de jeunesse. Elle traduisait l'excitation qu'on éprouve à voler, à s'affranchir des lois de la pesanteur et à foncer vers l'infini comme ces aigles qui se laissent porter ou dériver au gré du vent.

Soudain intimidé comme un collégien, il regarda Tess. Jamais il n'avait parlé ainsi avec qui que ce soit, même pas avec sa femme. Il s'éclaircit la gorge et poursuivit calmement :

— Je n'avais pas assez d'argent pour prendre des leçons de pilotage. Alors je suis allé à l'école d'aéronautique pendant cinq ans puis j'ai rejoint l'Air Force où j'ai été affecté à la section des combattants... J'ai fait la guerre du Vietnam sur un B-52. Voilà ! Et le mois prochain j'aurai un galon de plus ! Je serai major.

— Et vous continuerez à monter... toujours plus haut. Vous êtes un exemple pour tous, Shep.

Il haussa les épaules et mit le moteur en marche.

— Oh ! Ne soyez pas si prompte à me porter aux nues !

— Pourquoi pas ? Vous le méritez !

— Toutes les idoles ont des pieds d'argile, Tess... et je vous ai déjà montré à quel point j'étais... faillible. Allons, il est bientôt quatre heures. Je vous ramène au restaurant où vous reprendrez votre voiture. Il est temps que vous regagniez Los Angeles sinon votre mari va s'inquiéter.

42

Derek Barton pénétra dans le vaste bureau de Jerry Hamilton, l'air profondément préoccupé. Le costume de cuir foncé qu'il portait accentuait la sévérité de son maigre visage et la noirceur de son regard. Hamilton leva la tête, l'air furieux.

— Je croyais avoir dit à ma secrétaire que je n'étais là pour personne, marmonna-t-il en se replongeant dans ses papiers pour ignorer la présence de Barton.

Celui-ci s'arrêta près du bureau de Jerry et croisa tranquillement les bras.

— Il est six heures passées. Tout le monde est parti, sauf vous ! Vous devriez vous détendre un peu. Voulez-vous que nous allions dîner au...

— Non merci, Barton. Je ne souhaite qu'une chose, c'est qu'on me laisse travailler en paix. Dites-moi en vitesse ce qui vous amène. Si vous avez des problèmes avec vos sous-traitants, je vous ai cent fois répété que ce n'est pas à moi qu'il faut vous adresser.

Voyant que Barton ne bougeait pas, il ajouta :

— Pourquoi restez-vous planté là comme un piquet ?

— Euh... Quand vous saurez ce que j'ai à vous dire, je ne crois pas que vous regretterez ma visite, fit Barton avec un sourire ambigu.

Jerry, sans répondre, se replongea dans ses dossiers. Barton était un des rares fournisseurs de l'Air Force qui lui portaient sur les nerfs : toujours en retard pour ses livraisons, toujours à pleurnicher, et mauvaise langue en plus ; bref, un butor en qui il n'avait aucune confiance. Combien de fois avait-il dû envoyer Tess vérifier la qualité de l'alliage d'acier qu'il utilisait pour la fabrication des bielles destinées à équiper les bombardiers ! Chaque contrôle avait révélé une non-conformité flagrante.

Agacé par l'obstination du petit homme, Hamilton dit d'un ton bourru :

— Je vous conseille de vider votre sac rapidement et de prendre la porte.

Barton haussa les épaules.

— Très bien, monsieur. Votre femme s'est rendue très souvent à nos bureaux, dernièrement.

— Oui, sur mon ordre, pour superviser le travail de votre compagnie qui laisse trop fréquemment à désirer.

— D'accord, d'accord, répliqua Barton, cachant difficilement l'excitation qu'il éprouvait. Ce que j'essaie de vous faire comprendre, c'est que je connais très bien votre femme.

Jerry le regarda, perplexe.

— Ce qui signifie... quoi exactement ?

Barton hésita, laissant planer un long silence pour aiguiser la curiosité de l'ingénieur.

— Votre femme est très jeune et très séduisante, monsieur Hamilton.

Il n'ajouta pas tout haut ce qu'il pensait tout bas : vous pourriez être son père.

— Les hommes résistent difficilement à l'envie de la regarder, poursuivit-il d'une voix suave. Je l'ai remarqué dans nos bureaux. Tous interrompent leur travail et la suivent des yeux.

— Où diable voulez-vous en venir ?

Barton s'éloigna de quelques pas et brusquement fit volte-face, visiblement enchanté de mettre Jerry mal à l'aise. Il allait enfin pouvoir se venger des tracasseries continuelles que lui faisait subir ce couple détesté.

— On parle beaucoup du poste qu'occupe votre épouse au sein de la Rockwell.

— Elle a les qualifications requises et je me moque éperdument que vous et vos semblables n'aimiez pas traiter avec une femme. Il faudra bien que vous vous fassiez une raison.

44

— Il me semble que c'est plutôt vous qui allez devoir vous en faire une !

— Comment cela ?

— Il se trouve que je sais de façon certaine que... votre femme a une liaison.

Les yeux de Hamilton brillèrent dangereusement.

— Vous mentez !

— Voyons, monsieur Hamilton, réfléchissez un peu. Pourquoi viendrais-je ici porter une accusation pareille si elle n'était pas fondée ? J'aurais tout à perdre.

Jerry porta la main à son cœur qu'une douleur effroyable labourait tout à coup.

— Que savez-vous exactement ?

— Elle a des rendez-vous avec un officier de l'Air Force, un pilote d'essai.

Pétrifié, Hamilton sentit la peur le saisir.

— Qui ?

— Le capitaine Shep Ramsey.

— Où ? Quand ?

Barton se réjouit de l'effet causé par ses révélations. Le visage de Jerry était devenu grisâtre.

— Je les ai surpris, l'autre soir, à la réception où nous étions tous. Ils s'étaient donné rendez-vous sur le balcon où j'étais moi-même venu respirer un peu. Ils s'embrassaient à bouche que veux-tu.

L'élancement douloureux dans la poitrine de Jerry s'accentua.

— Est-ce tout ? demanda-t-il d'une voix rauque.

— Si mes renseignements sont exacts, elle est allée à Palmdale aujourd'hui, n'est-ce pas ?

Il regarda ostensiblement sa montre : six heures trente !

— Où peut-elle être ? J'ai appelé sa secrétaire qui m'a dit qu'elle déjeunait avec le capitaine. Le repas se prolonge bigrement tard, vous ne trouvez pas, Hamilton ?

Il était environ neuf heures trente lorsque Jerry entendit claquer la porte d'entrée. Etendu sur le sofa, un journal à la main, il leva nerveusement la tête. La douleur lancinante dans son côté gauche ne s'était pas calmée.

Tess entra vivement dans le living-room, le regard plein d'appréhension.

— Jerry, je suis désolée d'être tellement en retard. Un pneu de la voiture a crevé en route et il n'y avait pas de cabine téléphonique pour te prévenir.

Elle enleva son manteau, le jeta sur le dossier d'une chaise et vint s'asseoir près de lui. Qu'avait-il ? Son visage était couleur de cendre. Elle lui saisit la main.

— Mon chéri, tu ne te sens pas bien ?

— Depuis six heures ce soir, je suis très mal, en effet.

Il la regarda, l'air égaré. Dieu, qu'elle était belle et que ses grands yeux étaient innocents !

— Mon pauvre chéri, as-tu mangé quelque chose au moins ? Tu travailles tellement que tu te laisses mourir de faim.

Elle voulut se lever, mais il lui saisit la main.

— Reste ici, Tess, nous avons à parler.

Sourcils froncés, elle l'observa. Il semblait à la dérive, désespéré.

— Mais enfin, que se passe-t-il, Jerry ? Quelque chose ne va pas au bureau ? Tu as une de ces mines ! Je vais appeler le docteur.

Il prit une profonde inspiration, serrant la petite main dans la sienne.

— Derek Barton est venu m'apporter de terribles nouvelles.

46

— Lui ! fit-elle d'un ton acerbe. Il est odieux. Pourquoi ne te laisse-t-il pas tranquille ?

— Il ne s'agissait pas de problèmes professionnels cette fois.

Elle le regarda, perplexe.

— Alors, quoi ?

Jerry avala difficilement sa salive. La respiration courte, il se força à articuler :

— Il t'a vue dans les bras du capitaine Ramsey l'autre soir, sur le balcon... Et je ne peux m'empêcher de me demander si ton retard de ce soir n'est pas dû à...

L'angoisse la saisit. Elle libéra sa main, s'en couvrit le visage. La gorge sèche, le cœur en déroute, elle regarda son mari, désemparée.

Il porta la main à sa poitrine, ouvrit la bouche comme un noyé cherchant à respirer et s'effondra.

Elle poussa un cri, le saisit aux épaules.

— Jerry ! Qu'est-ce que tu as ?... Oh ! Mon Dieu... Non !

Chapitre 4

Le sénateur Stockwell regarda son collaborateur, Gary Owens, chargé du programme B-1, et tapota la pile de dossiers placés devant lui.

— Selon ces documents, dit-il, Rockwell est en retard sur la date prévue pour l'assemblage et la mise en état de vol de ce bombardier. Quelles en seront les conséquences, Gary ?

Owens, diplômé de Yale, ajusta sa cravate avant de répondre.

— A vrai dire, les retards se sont accumulés et, si Rockwell continue ainsi, je doute fort que l'on puisse procéder au vol d'essai avant la fin de l'année.

Stockwell étudia rapidement une colonne de chiffres.

— Ce qui me préoccupe surtout, c'est de savoir si cela va entraîner un dépassement du budget fixé pour ce programme par le Congrès.

— Sans aucun doute, monsieur. Tout retard supplémentaire ne fera qu'alourdir la note. Déjà le prix d'un de ces appareils est passé de quarante-quatre millions de dollars à cinquante-quatre millions !

L'indignation et la colère brillèrent dans les yeux du sénateur.

— Qu'ils aillent tous au diable ! On avait prévu

de commander deux cent quarante bombardiers. Vous vous rendez compte de la dépense ?

Il appuya nerveusement sur le bouton de son interphone.

— Oui monsieur ? fit la voix de sa secrétaire.

— Betty, appelez-moi l'ingénieur en chef de Rockwell.

— Daniel Williams. Entendu, monsieur.

— Merci, fit Stockwell, l'air satisfait.

Et se tournant vers Gary, il ajouta :

— Rien de tel que d'obtenir les renseignements à la source, n'est-ce pas ? Venez vous asseoir près de moi. Je veux que vous écoutiez la conversation que je vais avoir avec ce... Williams. A propos, je croyais que c'était Jerry Hamilton qui était à la tête de Rockwell.

— En effet, monsieur, mais il est mort quelques jours après la réception, d'une attaque. Dan Williams a été nommé à son poste et...

— Il a des problèmes ?

— Je crois bien, monsieur.

Ruth Caldwell, la secrétaire de Tess, passa la tête par la porte entrouverte.

— Madame Hamilton ?

Assise devant son bureau, Tess leva les yeux.

— Oui, Ruth ?

— J'ai le sénateur Stockwell au bout du fil. Il voulait parler à Dan, mais je lui ai dit qu'il était absent pour la journée. Vous voulez le prendre ?

Avec lassitude, la jeune femme se passa la main sur son visage.

— Oui, d'accord.

Il ne lui manquait plus que cela ! Des ennuis avec Stockwell ! Elle était déjà si déprimée, si dégoûtée de tout ! Depuis la mort subite de Jerry, la direction de Rockwell l'avait priée de mettre Dan Williams au courant du travail de son mari et elle s'épuisait à la tâche. D'une certaine façon, elle était reconnaissante à Dan de lui mener la vie dure et de la retenir au bureau douze à quatorze heures par jour. Au moins, pendant qu'elle travaillait, elle ne pensait pas et pouvait oublier l'angoisse de son cœur. Jerry était mort dans ses bras, persuadé qu'elle l'avait trompé avec Shep Ramsey.

Avec un profond soupir, elle décrocha le récepteur.

— Bonjour, sénateur. Ici, Tess Hamilton. En quoi puis-je vous aider ?

— Chère madame, j'ai été désolé d'apprendre l'épreuve qui vous a frappée. Votre mari et moi nous connaissions de longue date.

Immédiatement, un petit signal d'alarme résonna dans l'esprit de Tess. Elle avait découvert depuis quelques mois les jeux sordides que jouent les hommes politiques pour endormir la vigilance de ceux dont ils veulent obtenir des renseignements. Aussitôt, elle se mit sur ses gardes.

— Merci de vos condoléances, sénateur.

— Quelle perte terrible, Tess. Vous permettez que je vous appelle par votre prénom ?

Elle laissa la question en suspens, n'ayant pas la moindre envie d'accepter la familiarité de Stockwell. Ce qu'elle en avait vu à la réception lui avait profondément déplu et les articles dont il inondait la presse, concernant Rockwell et l'Air Force, n'avaient fait que renforcer cette aversion.

— En quoi puis-je vous être utile ?

— J'ai quelques questions sans importance à vous poser, Tess.

J'en étais sûre, pensa-t-elle, saisissant un crayon afin d'être prête à inscrire sur son bloc-notes tous les détails de la conversation.

— Je vous écoute, sénateur.

— Je suis curieux de savoir pourquoi les tests techniques du premier B-1 n'ont pas eu lieu en mars, comme prévu.

— La livraison de certaines pièces a pris plus de temps que nous ne le pensions. Vous savez bien que tout est programmé d'avance par nos techniciens et leurs ordinateurs et qu'on ne peut pas installer les systèmes électriques avant la plomberie.

— Pourtant vous avez déjà procédé à de tels travaux... et sur des projets plus vastes. Les techniciens de Rockwell connaissent donc bien le temps qu'il faut pour équiper ce genre de bombardier.

Tess sentit l'énervement la gagner.

— Rappelez-vous, sénateur : les premiers plans du B-1 ont été réalisés il y a sept ans exactement. Je pense que vous n'ignorez pas les progrès accomplis par la technologie durant cette période. Il a fallu changer les plans au fur et à mesure que la technique se modernisait et les adapter au B-1. La précision dans l'établissement d'un plan de construction pour un appareil réalisé en sept ans est pratiquement impossible. Nous avons fait de notre mieux, étant donné les circonstances.

— Avez-vous estimé les frais supplémentaires dus à ces délais ?

— Evidemment, les prix sont plus élevés que prévu mais l'inflation y est pour beaucoup.

— Vous savez sans doute que, d'après les calculs de mes experts, le prix d'un appareil est passé de quarante-quatre à cinquante-quatre millions de dollars. C'est regrettable !

L'estomac de Tess se noua en entendant la menace à peine voilée du sénateur. Elle savait que ces chiffres allaient faire la une des journaux dès le lendemain car Stockwell savait manipuler

51

la presse pour en tirer avantage. Essayant de garder une voix neutre, elle répondit :

— Sénateur, je vous ai donné les raisons de nos retards. Nos équipes travaillent nuit et jour pour s'adapter aux changements de programme. Bien sûr, le temps, c'est de l'argent, et avec l'inflation galopante de ces dernières années, le taux de hausse atteindra sans doute au moins six pour cent...

— Mes experts m'affirment que ce sera beaucoup plus !

— J'en parlerai à M. Williams dès son retour et j'établirai un rapport détaillé de notre conversation. Mais je crois que, si vous voulez vous donner le mal de bien prendre en considération les sept années qui se sont écoulées entre l'établissement des plans du B-1 et sa construction, vous comprendrez facilement pourquoi Rockwell a quelques mois de retard dans la réalisation de ce programme.

Tess demeura immobile quelques instants après avoir raccroché. Puis elle se leva, gagna la fenêtre et contempla le spectacle qu'offrait Los Angeles noyée dans le brouillard. Elle envisageait les conséquences possibles du coup de téléphone qu'elle venait d'avoir. Elle imaginait Stockwell convoquant une conférence de presse et insistant lourdement sur l'augmentation des dépenses sans en donner les raisons véritables. Mon Dieu, comme elle en avait assez de ces gens-là !

Depuis la mort de Jerry, tout allait de travers. Les problèmes de montage du B-1 s'accumulaient. Dan lui avait plusieurs fois demandé de l'accompagner à Palmdale mais elle avait toujours trouvé une excuse pour se dérober. Elle ne voulait pas risquer de rencontrer Shep Ramsey.

Oh ! Shep ! songea-t-elle avec tristesse ! Quelle souffrance avait été la sienne lorsque, au lendemain de la mort de Jerry, il était venu lui rendre visite ! Non, elle ne voulait pas avoir à affronter pareille situation de nouveau... pour rien au monde. Les images de la mort de Jerry la poursuivaient. Combien de fois avait-elle revécu la scène ainsi que les événements du lendemain...

Elle avait entendu résonner le carillon de la porte d'entrée. Il fallait aller ouvrir. Complètement assommée par ce qu'elle venait de vivre, elle s'était levée et, comme un automate, était allée jusqu'à la porte. Le docteur lui avait donné des tranquillisants après le départ de l'ambulance qui avait emporté le corps de Jerry à l'hôpital. Elle avait réussi à dormir un peu sur le sofa, sans se déshabiller, sans même songer à se rafraîchir le visage noyé de larmes. Les cheveux défaits, l'air ahuri, elle s'était trouvée en face de Shep, debout sur le seuil.

— Non ! avait-elle hurlé en repoussant la porte.

Mais Shep l'avait bloquée avec le pied.

— Tess, laissez-moi entrer.

Le cœur du capitaine s'était serré en voyant le visage terreux de la jeune femme, ses grands yeux bleus vidés de toute expression et les cernes noirs qui en soulignaient la tristesse. Il s'était glissé à l'intérieur, refermant la porte derrière lui. Il voulait aider Tess, la consoler. Il avait tendu la main vers elle, mais elle s'était vivement reculée en criant :

— Non !

Des larmes avaient ruisselé sur ses joues.

— Allez-vous-en, je vous en prie, laissez-moi seule ! Jerry est mort à cause de moi, de vous ! C'est ma faute ! Je n'aurais jamais dû me laisser embrasser.

Elle s'était précipitée dans le salon où Shep

l'avait rattrapée, l'obligeant à faire volte-face et à le regarder.

— Que me racontez-vous, Tess? Contrôlez-vous, voyons. Dites-moi ce qui s'est passé!

Elle pleurait, le visage caché dans ses mains.

— On nous a vus nous embrasser sur le balcon. On l'a rapporté à Jerry en lui affirmant que nous avions une liaison.

Shep l'avait regardée, atterré. Qui avait bien pu les voir? Qui avait intérêt à faire pareille révélation? Etait-ce par vengeance? L'information avait-elle réellement tué Jerry?

Inquiet, il regardait Tess. Il avait envie de la prendre dans ses bras, de la mettre à l'abri, de la protéger contre les méchants et de la soulager de cette souffrance qui se dégageait de tout son être. Il l'attira à lui, tremblante de peur et de chagrin.

— Calmez-vous, ma chérie... cela va passer. Je suis désolé, si désolé... Vous ne méritez pas tant de souffrance...

Des sanglots déchirants avaient alors secoué Tess qui s'était complètement abandonnée dans ses bras. Elle avait posé la tête sur sa poitrine, laissant s'échapper en hoquets désespérés la peur, l'horreur qui s'étaient accumulées en elle depuis la veille. L'étreinte de Shep lui donnait l'impression d'être enfin à l'abri. C'est à peine si les mots qu'il prononçait parvenaient à son oreille, mais la caresse de ses doigts sur sa nuque agissait sur elle comme l'eau fraîche d'une source.

Debout, ils étaient restés enlacés un long moment puis Shep l'avait soulevée et portée sur le sofa, ému de tenir contre lui ce corps si chaud et si souple. Abandonnée dans ses bras, les cheveux étalés comme une ondoyante masse de soie naturelle, son parfum léger et sa peau de velours l'avaient troublé. Elle était tout pour lui!

Il avait envie de l'emporter dans la chambre à coucher, de l'étendre sur le lit... de calmer son chagrin en l'aimant...

La nuit où ils s'étaient embrassés, ils s'étaient sentis complémentaires et Shep réalisait maintenant qu'il était en son pouvoir de recréer la même harmonie, le même sentiment de communion dans un amour qui leur avait déjà apporté de si précieux moments de bonheur paisible. Une émotion indéfinissable l'avait envahi, confondant ses sens et le rendant conscient de l'insondable désir qui l'étreignait. Mon Dieu, comme il serait facile de...

A contrecœur, il l'avait installée sur les coussins et tenue enlacée sans rien dire. Il s'était attendu qu'elle le repousse mais à sa grande surprise, elle s'était pelotonnée contre lui, confiante malgré son chagrin. Peu à peu elle s'était calmée. Il lui caressait les cheveux, sentant les battements de son cœur contre sa poitrine. Il avait fermé les yeux. Ses seins étaient doux, son corps s'harmonisait parfaitement avec le sien, son parfum était enivrant... la tentation était forte et lui faisait souffrir mille morts. Se penchant, il posa un baiser sur sa tempe, à la naissance des boucles soyeuses. Ah ! S'il avait osé lui relever la tête, goûter la saveur de ses lèvres ! Chacune de ses respirations était comme une invitation à l'amour et attisait la flamme de son désir brûlant. Aucune femme ne l'avait jamais touché à ce point.

Mais céder était impossible, avait-il pensé tristement. S'il s'était laissé aller à l'aimer à ce moment-là, elle ne le lui aurait jamais pardonné. C'était un risque qu'il ne voulait pas courir. Doucement il avait passé la main dans ses cheveux.

— Vous allez mieux, Tess ?

Elle avait hoché la tête, essuyant ses larmes du revers de la main.

— On dirait que vous pleurez chaque fois que nous sommes ensemble! avait-il remarqué, se souvenant de sa crise de larmes à Palmdale.

Elle l'avait regardé gravement. Pourquoi se sentait-elle tellement protégée quand il était près d'elle? Où s'était envolé l'horrible sentiment de culpabilité qui la paralysait quelques minutes plus tôt? Elle se sentait tout à coup paisible comme après un cyclone. La boule qui lui nouait la gorge s'était dissoute!

— Pouvez-vous m'expliquer maintenant ce qui est arrivé, Tess?

— Je... je suis rentrée en retard... un pneu crevé...

— Pourquoi ne m'avez-vous pas appelé? Je serais venu vous aider!

— Je sais, Shep, mais...

— Et ensuite?

Avec un regard désespéré, elle avait poursuivi:

— Quand je suis enfin arrivée à la maison, Jerry m'attendait, la mine défaite. Il m'a dit que quelqu'un nous avait vus nous embrasser sur le balcon et alors... il s'est demandé pourquoi je rentrais si tard de Palmdale... Il savait que j'étais avec vous...

Shep avait serré les dents.

— Mais qui lui a raconté tout cela?

— Derek Barton... un affreux personnage... un des fournisseurs de Rockwell avec lequel nous avons eu beaucoup d'ennuis...

Une colère froide comme un glacier de l'Arctique avait alors secoué Shep.

— Il a menti, c'est un criminel!

— Oui... et Jerry est mort à cause de cet horrible mensonge! Je ne peux supporter l'idée de l'avoir tué.

— Ne dites pas de choses pareilles, Tess. Ce n'est pas vrai ! Jerry était de santé délicate et il travaillait beaucoup trop ! Vous le disiez vous-même et tout le monde le savait. Un homme de cet âge qui se surmène est prédisposé aux accidents cardiaques. Qu'ont dit les médecins ?

— En principe, ils doivent me téléphoner cet après-midi.

— Et l'enterrement ?

— Dans deux jours.

— Avez-vous quelqu'un pour régler les détails de la cérémonie ?

— Les gens de Rockwell ont été très secourables.

— Je veux dire... un ami, quelqu'un qui puisse vous aider à supporter cette épreuve.

Elle avait tristement secoué la tête.

— Non... aucun... C'est difficile à expliquer, mais... je passais le plus clair de mon temps soit ici avec Jerry soit au bureau, toujours avec lui.

— Alors, Tess, je vais rester près de vous. C'est le moins que je puisse faire, étant donné les circonstances.

Ses yeux s'étaient agrandis, reflétant une angoisse indicible.

— Oh non ! Shep, c'est impossible ! Barton en profiterait pour continuer ses calomnies. Je... non... vous ne pouvez pas ! Si vous êtes près de moi, les rumeurs qu'il a fait courir partout seront confirmées et je ne le supporterai pas. C'est au-dessus de mes forces.

Shep s'était senti affreusement frustré et la colère n'avait cessé de grandir en lui.

— Il me le paiera, gronda-t-il, avec une expression féroce qui avait terrorisé Tess.

— Shep !

— Ne vous inquiétez pas. Il mériterait la mort

mais je n'irai pas jusque-là. Un jour, je le retrouverai et alors...

Il s'était interrompu, s'apercevant soudain qu'il la bouleversait.

— Oh! Excusez-moi. Si vous avez besoin de moi, appelez-moi. Je viendrai à n'importe quelle heure du jour ou de la nuit. Promettez-le-moi, Tess.

La force de ses mains lui avait redonné confiance en elle-même comme un funambule en péril qui reprend petit à petit son équilibre sur la corde.

— Mais qu'en dira votre femme ?

— Ne vous inquiétez pas de cela.

— Pourquoi ?

— Parce qu'elle m'a demandé le divorce pas plus tard qu'hier. La réception du week-end dernier a été un révélateur pour bien des gens ! En tout cas, ma femme y a rencontré un colonel qui sera nommé général l'an prochain et qui lui a tapé dans l'œil.

Avec un rire amer, il avait ajouté :

— J'aurais dû m'en douter ! Allyson a toujours été une arriviste.

Sept mois, déjà ! Sur le moment, Tess n'avait pas réagi à l'annonce du divorce de Shep, étant elle-même en état de choc et terriblement perturbée par les ragots qui avaient suivi l'enterrement de Jerry. Ils s'étaient propagés comme une vague déferlante durant les mois suivants. Encore aujourd'hui, le chagrin et le remords continuaient à peser comme une chape de plomb sur son cœur.

Heureusement, Dan Williams lui laissait peu le temps de rêvasser. Elle vivait presque entièrement au bureau, comme l'avait fait son mari.

Regardant fuir les nuages par la grande baie

vitrée, elle se demanda soudain si elle lui ressemblait. Allait-elle, comme lui, sacrifier son existence à son travail ?

Elle avait rompu toute relation avec Shep mais se posait souvent des questions à son sujet. Avait-il supporté la séparation d'avec Allyson ? Les commérages de Barton ne lui avaient-ils pas coûté son titre de major ?

De temps à autre, une note de service posée sur sa table mentionnait son nom. Il poursuivait sa formation de pilote d'essai. Chaque fois que les yeux de Tess tombaient sur le nom chéri, son cœur se serrait.

Tristement, elle s'éloigna de la fenêtre et regagna son fauteuil. Il fallait absolument qu'elle cesse de penser à Shep... à ce qui aurait pu être !

Chapitre 5

— Nous allons avoir des ennuis, je le sens, fit Dan après avoir relu le résumé de la conversation de Tess avec le sénateur Stockwell.

Il posa les feuillets sur la table et regarda la jeune femme.

— Il ne manquera sûrement pas l'occasion de convoquer tous les groupements antidéfense pour une conférence illustrée de projections chiffrées et il répandra à travers les médias des demi-vérités que ceux-ci s'empresseront de propager ! Beau scandale en perspective !

Tess haussa les épaules avec lassitude.

— J'ai demandé à notre département des relations publiques d'appeler les principaux journaux régionaux et de leur donner les informations nécessaires pour déjouer les plans de Stockwell.

— Parfait. Mais vous verrez ! On aime cent fois mieux les articles à sensation que ceux qui rapportent la stricte vérité.

Il jeta un coup d'œil à sa montre.

— Bon. Vous êtes prête ?

— Prête ? Pour quoi faire ?

— Vous ne vous souvenez pas ? Nous avons rendez-vous avec les membres de l'Air Force à

Edwards : déjeuner d'abord, puis meeting avec les pilotes d'essai et tests des simulateurs de vol.

Tess était devenue pâle.

— Qu'est-ce qui ne va pas, Tess ? Vous avez l'air d'avoir vu passer un fantôme !

Son cœur battait à se rompre. Ce n'était pas possible ! Elle avait réussi à éviter Shep jusqu'à présent et n'envisageait pas de se retrouver tout à coup nez à nez avec lui ! Car il serait sûrement là ! Non, elle ne le voulait à aucun prix... Pas après toute cette boue qu'on leur avait jetée à la figure.

— Je suis désolée, mais... j'ai des rendez-vous, parvint-elle à articuler. Je ne peux pas vous accompagner, Dan.

— Allons donc ! Cela vous fera du bien, vous avez besoin de sortir d'ici. D'ailleurs j'ai absolument besoin de vous. N'oubliez pas que, dans deux semaines, je serai en déplacement et que vous aurez la responsabilité de tout le département. Annulez vite vos rendez-vous d'aujourd'hui et partons.

Il fallait deux heures de route pour aller des confins de Los Angeles à la base d'Edwards, située en plein désert, près des lits asséchés des lacs Rosamond et Rogers, utilisés comme terrains d'atterrissage. Le paysage, où se mêlaient l'ocre des pistes et le blanc du sable, scintillait au soleil.

Les mains crispées sur ses genoux, Tess pensa à Shep pendant tout le trajet. Comment allait-il réagir en la voyant ? Une sueur froide l'inonda soudain. Il y aurait tant de monde autour d'eux... des gens qui connaissaient sûrement les détails sordides de leur prétendue liaison. On les regarderait avec curiosité et... dégoût, peut-être ! Oh ! Comme elle aurait souhaité éviter cette épreuve à Shep !

Elle avait l'estomac tellement noué lorsqu'ils

arrivèrent à la base qu'elle se sentit défaillir. Rassemblant nerveusement les plis de son ample jupe de soie prune, elle ouvrit la portière et suivit Dan jusque dans le club des officiers. L'obscurité qui y régnait l'aveugla momentanément. Elle entendit des voix d'hommes mais ne vit rien. Clignant des paupières, elle s'immobilisa près de Dan.

— Major Cunningham ! s'écria ce dernier, quel plaisir de vous voir. Comment allez-vous ?

— Très bien, monsieur. Nous autres, de l'Arkansas, sommes toujours en forme.

Tess regarda le beau visage de Tom. Il lui fit un petit signe de la tête et lui serra affectueusement la main.

— Je suis heureux de vous revoir, madame Hamilton. Shep sera ici d'un moment à l'autre. Il termine une série de tests de simulation de vol.

Elle sourit faiblement.

— Merci, major.

Ses yeux s'habituaient peu à peu à la pénombre. Dan la présenta fièrement à tous comme son assistante. Elle serra beaucoup de mains, péniblement consciente des regards curieux posés sur elle. Ils savaient tous ! Heureusement, Tom remarqua sa gêne et l'attira loin de la foule tandis que Dan bavardait avec les pilotes.

— Je voulais vous présenter mes condoléances pour la mort de votre mari, dit Tom. Mais vous connaissez la paresse des hommes lorsqu'il s'agit d'écrire. Soyez gentille d'accepter mes excuses.

— Merci, major.

— Appelez-moi Tom. On m'appelle aussi cowboy à cause de ces grands chapeaux que j'aime porter quand je ne suis pas de service et à propos desquels Shep me taquine toujours.

L'accent méridional, un peu traînant, de Tom

avait un charme qui aida Tess à se détendre. Comme il était chaleureux ! Il lui fit un large sourire.

— D'accord, Tom. Moi, c'est Tess... Je n'ai pas de surnom !

— Je connais quelqu'un qui en a mille pour vous... tous plus doux les uns que les autres. Ecoutez-moi, Tess. Shep est mon meilleur ami. Je l'aime comme un frère. Je sais tout ce que vous avez eu à supporter ces derniers mois et je souhaiterais bien vous voir enfin réunis. Vous êtes faits l'un pour l'autre.

Tess regarda le visage franc et amical de l'officier.

— Je ne voulais pas venir ici, Tom. J'avais peur d'embarrasser Shep ! Oh ! Comme je souhaiterais disparaître dans un trou de souris !

— Et pourquoi donc ? Vous n'avez rien fait de mal ! Je ne sais pas lequel de vous deux est le plus bouleversé par la situation. Pourquoi l'évitez-vous ? Quand je vous parle de lui, une petite lumière s'allume dans vos yeux. Il ne vous est donc pas devenu indifférent. Alors, croyez-moi, Tess, oubliez les ragots. C'est ridicule de refuser de le revoir.

Tess se raidit.

— Mais il n'est pas encore officiellement divorcé.

— Si, justement. Allyson est partie en février dernier et tout a été réglé très rapidement.

— Ah ! Je ne savais pas, bégaya-t-elle.

— Evidemment ! Comment seriez-vous informée puisque vous avez rompu toutes relations avec Shep ?

— Mais enfin, Tom, fit Tess avec une pointe de colère, vous avez entendu les ragots qu'on a faits sur nous !

— Vous n'allez tout de même pas laisser les

gens vous dicter votre conduite ? Vous supportez l'idée de gâcher votre vie et celle de Shep à cause de commérages ? Ne vaudrait-il pas mieux vous en moquer et décider vous-même de ce que vous voulez faire ?

— Personne ne dirige ma vie, répondit-elle avec violence.

— Vraiment ? Laissez-moi rire ! Comment se fait-il alors que vous n'ayez jamais répondu aux coups de téléphone et aux lettres de Shep ? Etait-ce votre cœur qui vous dictait cette attitude ?

Il s'approcha d'elle, le regard soudain très dur.

— Ecoutez-moi bien, Tess. Vous êtes en train de jouer avec les sentiments de mon meilleur ami. Il est aussi déchiré que vous par toute cette histoire. Ici, à Edwards, il en a vu de toutes les couleurs. Mais il a tenu bon, sans essayer de se dérober, comme vous.

Furieuse, Tess repartit sèchement :

— De quoi vous mêlez-vous ?

Elle voulut se sauver, mais il n'y avait nulle part où aller. Le hall était plein d'officiers en uniforme. Tremblante, elle toisa le major.

— Pourquoi m'agressez-vous ainsi ?

— Parce que d'ici quelques minutes, Shep va entrer par cette porte et qu'il mérite que vous soyez courageuse, Tess. Une femme qui se cache n'est pas ce qu'il lui faut. Revoyez-le et faites front. Je sais que vous avez l'étoffe solide mais vous n'en êtes pas encore consciente. Voilà tout !

Shep fut le dernier à paraître. Vêtu de la tenue vert olive des pilotes d'essai et de bottes noires, il se tint à l'écart. En l'apercevant, le cœur de Tess chavira et une joie indescriptible l'inonda. Dominant les autres officiers de sa haute taille, il parcourait l'assemblée du regard, semblant chercher quelqu'un. Tess était sur le point de prononcer son nom lorsque leurs regards se croisèrent et ne se quittèrent plus. Le gris de ses yeux sembla s'obscurcir. De grands cernes marquaient son visage. Sa peau autrefois bronzée était maintenant blafarde. Avait-il été malade ?

Tom lui saisit le bras et se pencha vers elle.

— Allez lui parler, Tess. Il a vécu un enfer. Je vous rejoindrai tout à l'heure pour le déjeuner.

Soudain, Tess eut la certitude que rien d'autre n'avait d'importance pour elle que cet homme qui restait là-bas à l'observer en silence. Son comportement envers lui lui paraissait parfaitement criminel. Pourquoi avait-elle refusé de lui parler au téléphone ? Pourquoi lui avait-elle renvoyé ses lettres sans même les lire ? Elle ne comprenait pas... Il fallait qu'elle lui parle, qu'elle s'explique... Elle vit Shep se mettre à marcher lentement dans sa direction. Il s'arrêta pour serrer la main de Dan et échanger quelques mots avec lui puis s'avança directement vers elle.

— Enfin, Dan vous a décidée à venir jusqu'ici, dit-il simplement.

— Il m'a plutôt traînée, murmura-t-elle en rougissant.

— Vous ne semblez pas avoir trop souffert du traitement, fit-il avec un mince sourire.

Tess secoua la tête. Elle prit une profonde inspiration.

— Je...

— Non... Pas ici, pas maintenant, Tess. Il faut que nous parlions seul à seule.

Elle trembla intérieurement devant la ferveur de sa voix.

— Oh oui ! Shep ! J'ai tant d'excuses à vous faire !

Un immense soulagement s'inscrivit sur les traits de l'officier.

— Allez dire à Dan que je vous ramènerai à

Los Angeles après la réunion. Nous aurons le temps de bavarder dans la voiture. Je vous donne rendez-vous au bar après le meeting, d'accord ?

— D'accord, Shep.

Pendant le déjeuner, elle se trouva assise entre Shep et Tom, ce dernier ne sachant pas quoi inventer pour les distraire. Tess s'efforçait de garder un maintien très professionnel malgré l'excitation qu'elle ressentait. Shep avait lui-même choisi leur table dans un coin reculé de la salle à manger, loin des regards indiscrets. Chaque fois qu'elle levait les yeux vers lui, elle surprenait son regard fixé sur elle avec une expression douce, chaleureuse, interrogatrice, pleine d'une émotion qui faisait battre son cœur à coups précipités. Elle mangeait sans savoir ce qu'elle avalait.

La réunion se tint autour d'une grande table ovale en acajou. Dan Williams fit un résumé des changements intervenus dans la réalisation technique du B-1 et redéfinit le plan général du projet. Les pilotes prenaient des notes et posaient des questions pertinentes, discutant des modifications avec les ingénieurs. Une fois données toutes les explications requises, les pilotes d'essai prirent congé. Seuls restèrent autour de la table les gens de Rockwell face au général Roman et à ses collaborateurs, un lieutenant-colonel et un colonel qui, sur un coup d'œil de Roman, sortit aussitôt de sa sacoche le dernier numéro du *New York Times* et le posa devant Dan Williams.

— Qu'est-ce que cela veut dire ? rugit le général. Vous avez lu les gros titres et l'article ? « La mauvaise gestion du projet B-1 coûte des milliards au pays. Le département de la Défense du territoire est inondé d'appels téléphoniques provenant de contribuables qui demandent des éclaircissements sur ces allégations. » Pour couronner le tout, ajouta le général, les yeux étincelants de rage, Stockwell a tenu une conférence de presse avec les groupes antidéfense hier après-midi. Expliquez-vous, Williams.

Furieux, Dan s'écria :

— Général, vous nous avez demandé de vous construire le plus moderne des bombardiers du monde. Nous allons vous le livrer. Mais sept années se sont écoulées depuis la signature du contrat, sept années durant lesquelles nous avons apporté tous les perfectionnements technologiques possibles à l'appareil. Ceci sous-entend beaucoup de recherches et d'études, donc beaucoup de temps. Vous connaissez aussi, je pense, le rythme de l'inflation de ces dernières années. A Rockwell, personne ne l'ignore, en tout cas !

Roman se mit à arpenter la pièce, les mains derrière le dos. Sa colère se dissipait peu à peu.

— On essaie de faire croire aux Américains que vous êtes inefficace, Williams. Stockwell veut nous faire passer pour des imbéciles. Les journaux insistent sur l'augmentation des dépenses pour le B-1 sans en donner les véritables raisons.

— C'est typiquement leur manière d'informer... ou plutôt de désinformer ! Il va falloir lancer une contre-offensive.

— Sans aucun doute, sinon le Congrès s'en mêlera et alors, adieu les crédits. L'Air Force paiera les pots cassés, comme d'habitude ! Vous savez que les séquelles de la guerre du Viêt-nam se font toujours sentir ! Quantité de gens militent en faveur du désarmement.

— Oui, répondit Dan, et ils ne réalisent pas que, sans une forte stratégie de défense aérienne, les Soviétiques nous écraseraient.

67

— J'espère que vous allez faire le nécessaire immédiatement, Williams !

— Evidemment, général.

Roman jeta un regard vers le bout de la table où se tenait Tess.

— Vous devriez lire cet article, mon petit, parce qu'on parle de vous en long, en large et en travers.

Tess soutint le regard du général.

— Mon nom est Tess Hamilton, monsieur, lui dit-elle froidement.

Ce n'était pas la première fois qu'un membre de l'Air Force la traitait comme une petite secrétaire de rien du tout.

Roman la toisa.

— Je sais ! Il va y avoir des dégâts si vous ne remettez pas de l'ordre là-dedans.

Regardant Williams, il ajouta d'un ton acerbe :

— Depuis quand autorisez-vous vos secrétaires à discuter avec les sénateurs ?

Dan jeta un coup d'œil à Tess.

— Général, répondit-il froidement, Tess est mon assistante et connaît le travail de mon département mieux que moi, pour l'instant. Elle participe à l'élaboration de ce programme depuis sa conception tandis que, moi, je ne fais qu'arriver. Elle a toute autorité pour répondre à n'importe quel appel parvenant à Rockwell.

Ouvrant sa sacoche, il en tira le rapport fait par Tess après sa conversation avec Stockwell et le jeta devant le général.

— Voici un mémo détaillé de l'appel reçu par Mme Hamilton et de ses réponses. Si vous daignez le lire, vous vous rendrez compte que tout ce qu'elle a dit était précis et d'une parfaite exactitude. Malheureusement, les médias, sous l'influence de Stockwell, en ont tiré ce qui les arrangeait sans se soucier de la vérité.

Lorsque la discussion prit fin une heure plus tard, Tess savait que le moment de s'occuper de sa vie privée n'était pas encore venu.

— Je vous rejoins à la voiture dans dix minutes, dit-elle à Dan.

— Entendu, répondit-il d'une voix fatiguée. Mais ne perdez pas trop de temps. Nous avons du pain sur la planche si nous voulons éviter que Stockwell ne nous démolisse.

— Je me dépêche.

Elle sortit rapidement de la pièce et se dirigea vers le bar. Repérant Shep parmi les quelques pilotes qui étaient encore là, elle le rejoignit. Il se leva aussitôt et lui prit le bras pour l'escorter dehors. Le vent chaud et sec du désert soufflait en rafales.

— Tous nos beaux projets sont à l'eau, Shep, murmura-t-elle. Il faut que je retourne tout de suite au bureau avec Dan.

— Pourquoi cela ?

Elle lui résuma rapidement ce qui venait d'arriver.

— On a une longue nuit de travail devant nous !

Il se força à sourire.

— Ecoutez, dit-il, je suis libre dimanche prochain. Promettez-moi de passer la journée avec moi. Vous n'aviez pas d'autres projets ?

— Euh... non.

— Tant mieux. Je vous emmènerai dans ma retraite montagnarde. Je vous appellerai vendredi après-midi au bureau pour vous fixer un rendez-vous. D'accord ?

Elle hocha la tête et le laissa repousser d'un geste tendre les mèches de ses cheveux derrière ses oreilles. Le contact de ses doigts l'emplit d'un trouble délicieux. Comment avait-elle pu oublier la saveur de ses caresses, elle qui en était si affamée ? Il lui redonnait l'énergie dont elle avait besoin pour affronter ses problèmes, tant affectifs que professionnels.

Un sourire s'épanouit sur ses lèvres et elle plongea son regard dans celui des yeux gris fixés sur elle.

— Le temps va me paraître long ! dit-elle.

Il appela le vendredi à trois heures.

— Allô. Ici, Tess Hamilton.

— Pas possible ! fit-il en riant. Alors, vous êtes prête à vous faire enlever dimanche prochain ?

Tess se pencha sur son bureau, la main sur le front et murmura :

— Mon Dieu, que c'est bon d'entendre la voix d'un ami !

— Vous en êtes là ?

— Oui ! C'est affreux ! Stockwell nous mène une vie d'enfer. Il a rameuté le ban et l'arrière-ban des pacifistes qui passent leur temps à nous demander des comptes. Nous sommes à bout !

— Aimez-vous la montagne ? demanda-t-il d'une voix qui fit fondre le cœur de Tess.

— Oui. Pourquoi ?

— Nous irons passer la journée dans ma cabane, dans les sierras. L'endroit est merveilleux, tout près de Bakersfield, au milieu des séquoias.

— Un vrai paradis, alors !

— C'est vous qui êtes mon paradis, Tess. Voulez-vous que je vous cueille chez vous à neuf heures, dimanche matin ? Nous prendrons le petit déjeuner en route et serons sur place vers midi.

— Parfait, Shep.

— N'oubliez pas votre jean et vos chaussures

de montagne ! Laissez au placard tout ce qui peut vous rappeler la vie professionnelle !

— C'est merveilleux ! Je voudrais déjà y être ! fit-elle avec ferveur.

Chapitre 6

La sonnette tinta joyeusement. Tess descendit l'escalier quatre à quatre et ouvrit la porte. Shep était sur le seuil, l'air d'un jeune homme en jean et chemise aux manches relevées. Disparu le masque de l'officier de l'Air Force! Ses yeux pétillaient d'allégresse et son sourire chaleureux disait tout le bonheur qu'il éprouvait.

— Etes-vous bien la même Tess Hamilton que celle qui travaille à Rockwell? demanda-t-il d'un ton taquin.

— Ne me dites pas qu'un jean et un corsage rose me changent à ce point!

— Vous n'en avez pas idée! Vous êtes superbe!

Comme il l'observait des pieds à la tête, elle rougit violemment.

— Coureurs de jupons, voilà ce que vous êtes tous à l'Air Force! Attendez-moi une seconde, je vais chercher mon sac.

Elle avait des ailes! Son cœur chantait de joie. Pourtant elle n'avait presque pas fermé l'œil de la nuit, s'interrogeant sur l'opportunité de cette escapade avec Shep. Sept mois seulement la séparaient de la mort de Jerry et déjà l'absence d'un compagnon la faisait cruellement souffrir. Ramassant son sac, elle décida qu'aujourd'hui elle repousserait les pensées moroses et profiterait à plein de sa journée.

A neuf heures du matin, les routes aux abords de Los Angeles n'étaient pas encore trop encombrées. Lorsqu'ils parvinrent à Grapevine, la dernière étape avant les lacets qui conduisaient à Bakersfield, le soleil brillait, le ciel était bleu... et le brouillard qui enveloppait presque toujours la ville était loin derrière eux.

Assise près de Shep. Tess savourait tranquillement son bonheur.

— Pas trop fatiguée ? demanda-t-il.

— Un peu seulement.

— Beaucoup, je crois ! Avez-vous réglé vos problèmes au bureau ?

— Plus ou moins. Les journalistes sont d'étranges animaux ! S'ils peuvent mettre la main sur un scandale, ils s'en saisissent aussitôt pour leurs gros titres. Mais quand il s'agit de faits et de chiffres exacts, ils se font tirer l'oreille !

— C'est frustrant, non ?

— Plutôt ! Mais ne parlons pas de métier aujourd'hui. Je veux tout oublier pendant cette journée.

— D'accord. Parlons de vous.

— Non, fit-elle en secouant la tête. De vous, c'est plus sûr !

— Mais bien plus ennuyeux aussi ! J'aurais tellement aimé connaître un peu votre passé, savoir où vous avez été élevée, qui sont vos parents... et autres choses du même genre. Cela n'a rien à voir avec le domaine professionnel, n'est-ce pas ?

— Non, en effet, reconnut-elle après une hésitation.

— Qu'est-ce qui vous arrête ? Vous êtes classée top secret ? demanda-t-il en riant.

— Non, mais dans certains domaines... je...

comment dire... je ne voudrais pas aller trop loin...

— C'est cela qui vous tracasse ?

— Eh bien, je...

— Détendez-vous, ma belle Irlandaise. Notre journée sera entièrement consacrée à l'amitié... Vous vous sentez mieux, maintenant ?

Tess lui jeta un regard prudent.

— Vous auriez pu me le dire plus tôt ! Cela m'aurait évité une nuit blanche.

Il sourit et lui pressa la main.

— Ecoutez-moi, Tess. Nous avons tous les deux besoin d'un peu de temps pour nous connaî-tre. Nous avons vécu un enfer et nous devons l'oublier. Je crois que la montagne est l'endroit idéal pour se détendre, bavarder, se promener. Je ne demande rien d'autre. Vous voilà tranquilli-sée, j'espère.

Le cœur de Tess s'épanouit devant cette preuve d'amour discrètement formulée. Il avait parlé d'une voix profonde, vraie, pleine d'émotion.

— Vous êtes merveilleux, murmura-t-elle.

Ils s'arrêtèrent à Giant Lodge. Shep prit son sac à dos et entraîna Tess jusqu'au bord de l'immense escarpement de granit d'où l'on embrassait du regard toute la vallée. Le pano-rama était grandiose et Tess eut soudain l'im-pression d'être débarrassée comme par enchante-ment de la charge écrasante des responsabilités professionnelles qu'elle avait endossées ces der-niers temps.

Le soleil baignait le paysage de ses rayons dorés. Des geais bleus, perchés dans les séquoias voisins, poussaient leurs cris rauques. Shep, plus excité qu'elle ne l'avait jamais vu, était impatient de commencer l'excursion.

— Je viens ici chaque fois que je peux, expli-qua-t-il. La magie de la montagne calme les blessures... D'ailleurs, les Indiens considéraient cette région comme une terre sacrée.

Tess sourit.

— Vous parlez comme ma grand-mère !

— J'ai toujours éprouvé un immense plaisir à rejeter les pièges de la civilisation et à me retrouver dans la solitude sauvage de nos ancêtres. Votre grand-mère aime la forêt ?

— Je crois que vous vous entendriez très bien avec elle sur ce point !

Il lui tendit la main.

— Vous m'en parlerez plus tard. Allons-y, maintenant.

Ils commencèrent leur ascension et Tess fut immédiatement prise par la féerie des lieux. Les sous-bois ressemblaient à une superbe cathédrale dont le silence n'était troublé que par mille chants d'oiseaux. L'air frais était chargé de senteurs exquises et la brise faisait frissonner les feuilles des arbres. Ils avançaient main dans la main sur le petit chemin sinueux et atteignirent bientôt un rocher en surplomb qu'ils escaladèrent. Loin de tout, seuls au monde, ils s'assirent à l'ombre des pins.

Tess s'appuya contre l'épaule de Shep, consciente de la mâle vigueur de son corps. Fouillant dans son havresac, il en sortit un paquet de raisins secs.

— Servez-vous, cela vous redonnera de l'énergie, dit-il avec une intonation douce.

Il la regardait de ses yeux d'aigle affamé qui la fascinaient. Elle tendit la main pour prendre quelques grains. Leurs doigts se touchèrent.

— Dieu, que vous êtes belle ! murmura Shep.

Quelques mèches rebelles s'étaient échappées et formaient des boucles sur sa nuque et son front, adoucissant les traits de son visage. Ses joues avaient de belles couleurs et ses yeux brillaient d'un espoir nouveau. Il la regarda, un sourire étincelant aux lèvres.

— Il ne vous manque qu'une toute petite chose...

Délicatement, il prit une à une les épingles qui tenaient prisonnière sa chevelure et répandit la toison d'acajou sur ses épaules. Elle glissa entre ses doigts comme une cascade soyeuse. Son regard admiratif disait assez sa joie de la voir redevenue elle-même et chacun de ses gestes était tellement tendre que les yeux de Tess se mouillèrent.

— J'ai du mal à me rappeler que vous êtes un pilote d'essai, Shep, un homme en principe dénué de tout romantisme et qui ne pense qu'en termes de mathématiques, de graphiques et de cartes de géographie !

— Nous avons tous notre côté sensible et vulnérable que nous nous efforçons de cacher aux yeux du monde, non ?

Elle hocha la tête et l'observa en silence. L'homme assis près d'elle n'était pas exactement celui qu'elle croyait connaître : détendu, jeune, gai, les rides de son front et de sa bouche avaient disparu comme par miracle.

— Certes, répondit-elle d'une voix à peine audible, et c'est ce côté-là que je découvre en vous et que j'aime. Pourquoi le cachez-vous ?

Elle ramassa une poignée d'aiguilles de pin et les fit distraitement glisser entre ses doigts.

— Et vous ? Ne cachez-vous pas la vraie Tess par hasard ? Savez-vous ce que j'ai devant moi actuellement ? Une fille-fleur, en parfaite harmonie avec la nature où nous nous trouvons. Et qui avais-je devant les yeux à la réception où nous nous sommes rencontrés ? Une femme d'affaires très élégante, experte en conversations techniques, extrêmement polie avec tout le monde, mais froide et indifférente. Et à la conférence de jeudi dernier ? Une assistante administrative consciente de son rôle, au maintien emprunté, coiffée avec un chignon très serré et très vieillot, pour être sûre de bien imposer l'image qu'elle voulait donner d'elle. Pour la première fois aujourd'hui, je découvre votre vrai visage. Car, en réalité, Tess, vous êtes une femme de la terre jusqu'au bout des doigts. Regardez, vous ramassez les aiguilles de pin et vous vous imprégnez de leur parfum. Tout à l'heure, je vous ai vue vous arrêter près d'un arbre et glisser vos mains le long du tronc pour sentir les aspérités de l'écorce. Si vous pouviez vous regarder dans une glace ! Votre visage, le vrai, celui que personne ne connaît, je l'ai là, sous les yeux !

Tess rougit comme s'il venait de la mettre nue. Légèrement embarrassée, elle se leva, épousseta ses jeans et murmura sur le ton de la plaisanterie :

— Ah ! Ces pilotes d'essai ! Toujours à observer les plus petits détails !

A son tour, Shep se mit debout et lui prit la main.

— J'aurai d'autres remarques à vous faire... mais j'attendrai le moment opportun !

Elle le regarda avec surprise, mais il n'ajouta rien. En silence, ils reprirent leur ascension. Tout semblait si naturel dans cet environnement merveilleux ! Pour la première fois depuis la mort de Jerry, Tess et Shep se sentaient en paix avec eux-mêmes.

L'envie que le capitaine ressentait de prendre la jeune femme dans ses bras et de l'embrasser était de plus en plus forte. Mais il ne voulait pas céder à la tentation. La bousculer serait une grossière erreur. Il avait le temps maintenant. Le soir de leur rencontre, l'attirance qu'ils avaient éprouvée l'un pour l'autre avait été si puissante qu'elle avait annihilé en eux toute pensée cohérente. Mais depuis lors, Tess avait mûri et lui-même avait acquis la certitude qu'elle avait besoin de lui.

Je vous aiderai à retrouver cette part de vous-même que vous avez égarée dans les sentiers dangereux de la vie mondaine, songea-t-il. Je vous donnerai l'amour et l'appui qui vous sont nécessaires pour vous épanouir pleinement. Et un jour, peut-être...

Au fond de l'étroite gorge, ils tombèrent sur un petit ruisseau dont les eaux limpides couraient sur d'innombrables rochers multicolores. Shep conseilla à Tess de se désaltérer. Elle s'agenouilla, emplit ses mains de cette eau claire, la porta à ses lèvres et la trouva délicieusement... glacée !

Il sortit de son havresac une nappe rouge qu'il étendit soigneusement sous les branches majestueuses d'un séquoia. Tess le rejoignit, heureuse d'être près de lui.

— Quel est le menu ? demanda-t-elle gaiement. Je meurs de faim.

— Des sandwiches au poulet, à la salade, des pommes et du chocolat.

— Du chocolat ? Vous voulez donc attirer les farfadets du fond de la forêt ?

— Non, non ! Il n'en est pas question ! D'ailleurs, les farfadets, cela n'existe pas !

— Vilain rabat-joie ! fit-elle, les yeux pleins de rire. Vous faites fuir toutes mes illusions !

— Désolé, ma belle, répondit Shep en lui tendant un sandwich, mon côté pratique l'emporte toujours sur le reste !

— Le vôtre peut-être, mais pas le mien ! Pas un jour comme celui-ci, en tout cas !

Elle se sentait insouciante et heureuse comme une enfant.

— Nous nous complétons parfaitement, tous les deux, dit-il. Moi, je garde les pieds sur terre et vous, vous vivez depuis votre enfance dans un monde plein de fées et de lutins.

— Comment le savez-vous ?

— Je vois dans vos yeux bleus les visions de la petite fille que vous étiez et je me demande vraiment comment, avec ces rêves plein la tête, vous avez réussi à obtenir des diplômes universitaires ! Vous étiez faite pour être artiste ou écrivain.

Tess mordit avec appétit dans son sandwich.

— Oui, mais voilà, répondit-elle la bouche pleine, dès l'âge de deux ans, on a découvert que j'étais forte en math !

— Quand aviez-vous le temps de vous envoler au pays de l'imaginaire, alors ?

— Oh ! Dans ma chambre, toute seule... Je me dépêchais de finir mes devoirs et je m'asseyais près de la fenêtre pour admirer les couchers de soleil. J'observais les changements de couleurs et je songeais que quelque peintre invisible, là-haut, agitait son pinceau et choisissait sur sa palette magique des teintes douces ou violentes dont il zébrait l'horizon selon sa fantaisie, pour ma plus grande joie.

Elle lui jeta un regard timide.

— Vous me trouvez idiote, n'est-ce pas ?

— Oh non ! Moi, quand je vole, j'ai toujours l'impression d'appartenir à quelque chose d'immense et mystérieux.

— C'est-à-dire ? Expliquez-moi.

— Vous me promettez de ne pas rire ?

— Parole d'honneur !

Il finit son sandwich et appuya la tête contre le

tronc de l'arbre, regardant les rayons du soleil jouer à travers les feuilles frémissantes.

— Parfois, quand je ne suis pas de service, je prends un T-38, juste pour le plaisir de m'évader. J'aime m'isoler du monde, du bruit, de la foule. Que j'aie la migraine ou que je sois tendu nerveusement, tout disparaît dès que je prends les commandes de l'appareil et que je gagne le ciel. Je me sens partie intégrante du firmament, j'appartiens aux nuages, aux courants qui bercent l'appareil, à l'immensité qui m'environne. C'est une ivresse à nulle autre pareille, comme si j'étais une parcelle de cet infini où je suis suspendu. Et quand je regagne la terre, je me sens en paix avec moi-même. Je suis heureux. C'est sans doute ma façon personnelle de retrouver mon équilibre...

— Votre apaisement, plutôt, murmura-t-elle, posant la main sur son bras musclé.

Ses lèvres s'entrouvrirent et leur plénitude était comme une invitation à aimer.

— Ma grand-mère m'a transmis son amour de la nature. Elle m'a appris que tout est vivant : les arbres, les plantes et même les rochers. C'est elle qui m'a enseigné à croire aux fées, aux gnomes, aux elfes et aux farfadets qui peuplaient mes rêves d'enfant. Elle m'emmenait souvent chez elle, à la campagne, pour les week-ends.

Elle rit doucement à l'évocation de ces souvenirs merveilleux.

— Grand-mère avait coutume de dire à mes parents qu'ils auraient dû me laisser grandir comme une enfant normale et ne pas faire de moi un petit prodige. Elle m'affirmait qu'elle était là pour me sauver des études qui allaient dessécher ma nature. « Tu travailles beaucoup trop, me disait-elle, il faut te distraire, sortir, voir des amis ». C'est elle qui m'a donné ces valeurs sûres qui me manquaient : avec elle je partais en promenades matinales dans la forêt, à une heure où le soleil n'avait pas encore atteint le sommet des montagnes environnantes et où la rosée perlait sur tout ce qu'on pouvait voir. Elle s'arrêtait souvent, me demandait de fermer les yeux et de lui dire ce que je ressentais ou entendais...

— Par exemple ?

Elle se tut un instant, entrelaçant ses doigts avec ceux de Shep, prise par le souvenir de ces jours qui avaient tant compté pour elle.

— Parfois, je croyais entendre des rires... Je disais à grand-mère que c'était le vent dans les arbres, alors elle me demandait d'ouvrir les yeux : il n'y avait pas la moindre brise, pas la moindre agitation dans les feuilles ! Elle m'ordonnait de refermer les paupières et de me concentrer davantage. Je sentais alors la chaleur du soleil ou l'équilibre de la nature qui nous entourait... Il m'arrivait aussi d'être inondée par un incroyable sentiment de paix et de sécurité. Mais quelquefois, par contre, c'était une discordance qui me frappait...

Elle rougit et détourna le regard.

— Je suis sûre que vous me prenez pour une folle !

Shep secoua la tête.

— Non, Tess... Je ressens les mêmes choses quand je vole !

Il la regarda intensément... Elle était si proche, si délicieusement vivante. Il l'attira à lui et se pencha vers ses lèvres jusqu'à les effleurer. Elle tressaillit, captive de sa main qui lui tenait fermement le visage et de son regard affamé plongé dans le sien. Ses lèvres fermes, implorantes, brûlantes la laissèrent sans souffle. Le parfum musqué de son corps agissait sur elle comme un aphrodisiaque et l'empêchait de se contrôler. Un gémissement s'échappa de sa gorge. Elle lui fit un collier de ses bras et se laissa aller contre lui. Ses lèvres devinrent vivantes sous la pression de celles de Shep. Il perçut le désir qui grandissait en elle, en même temps que ses hésitations, ses craintes. Il relâcha légèrement son étreinte, la laissant agir à sa guise et faisant effort pour refouler l'âpre désir qui le taraudait... Comme il eût été facile de l'étendre sur le tapis de mousse... de l'aimer ! Elle était là, serrée contre lui... papillon merveilleux qui sentait le pin et la lavande.

Lorsqu'il s'éloigna d'elle, essoufflé et vaguement étourdi, elle eut un sentiment de frustration, mais le poids de ses mains sur ses épaules la rassura. Le cœur battant, elle se tourna vers lui, le regard interrogateur. Etait-il déçu par son baiser ?

Mais elle réalisa aussitôt que leur communion avait été bien plus profonde et que jamais elle ne s'était abandonnée à un homme aussi complètement. Elle plongea dans ses yeux gris le regard étonné d'une enfant.

Il resta un long moment silencieux.

— Mon Dieu, dit-il enfin, comme vous êtes femme. Et comme j'ai envie de vous, Tess !

Avec un profond soupir, il ajouta :

— Mais il nous faut du temps encore... J'ai promis de ne pas vous bousculer... Je tiendrai parole, malgré ce qu'il m'en coûte !

Elle ferma les yeux. Que lui arrivait-il ? Son corps reprenait vie tout à coup ! Un simple baiser pouvait-il apporter tant de bonheur ? Jerry n'avait jamais provoqué en elle de désir aussi violent.

Gravement elle dévisagea Shep. L'intense passion qu'elle lut sur son visage la fit tressaillir.

Elle se rendit compte qu'elle le désirait autant que lui.

— Shep, je...

Il posa la main sur son bras.

— Chut... ne dites rien... Les mots sont inutiles. Sentir, voilà tout ce qui importe...

Chapitre 7

Tess poussa un gémissement en ôtant ses souliers. Ses pieds étaient enflés et douloureux. Elle était assise à une table devant la cabane de rondins que Shep avait bâtie et où il aimait venir se détendre. Elle le regarda venir, les bras chargés de fagots qu'il déposa devant la cuisinière.

— Vous avez des ampoules ? demanda-t-il.

— Non, non. Ce n'est pas grave... Le manque d'entraînement, voilà tout.

Un sourire malicieux aux lèvres, il fit le tour de la table de bois et vint s'asseoir à ses côtés.

— Laissez-moi faire. Je vais soulager ces petits pieds charmants.

Il lui prit une jambe et la posa en travers de sa cuisse. Très doucement, il la massa, de la plante du pied jusqu'au genou.

— C'est le paradis, murmura-t-elle, fermant les yeux.

— Mais ce n'est pas gratuit, vous savez !

Elle lui jeta un regard inquiet.

— Ah ?

— Ici, à la montagne, chacun doit payer son écot. Ce soir, je ne vous infligerai que l'épluchage des pommes de terre pendant que je m'occuperai de préparer le feu.

Rassurée, elle éclata de rire.

84

— Et qui fera la cuisine ?

— Moi, bien sûr. Pourquoi ? Vous ne m'en croyez pas capable ?

— Je ne sais pas ! On dit tant de choses sur vous autres, pilotes d'essai ! Il paraît que vous n'êtes pas comme le commun des mortels.

— Eh bien, heureusement que je suis arrivé pour vous délivrer de ces préjugés !

Il lui prit l'autre jambe et lui fit subir le même traitement délicieux.

— Pilotes d'essai ou pas, nous sommes des humains... très humains, ajouta-t-il d'une voix un peu rauque.

Tess évita de le regarder, sachant instinctivement ce qu'il voulait dire. Depuis le moment fragile et merveilleux où ils s'étaient embrassés, des liens nouveaux s'étaient établis entre eux. Elle sentait son corps répondre au regard chaleureux qu'il posait sur elle.

— Tellement humain que vous laissez brûler notre repas, répliqua-t-elle joyeusement. Il vaudrait peut-être mieux que je me charge de la cuisine, non ?

Shep regarda la cuisinière à bois qui fumait dangereusement.

— Vous vous êtes déjà servi d'un engin pareil ?

— Euh... non.

— C'est un vieux machin qui flambe quand le bois est trop sec et qui met des heures à cuire un repas si le bois est vert ! Il faut une patience d'ange !

— Ce n'est pas engageant. Je crois que je vais vous laisser faire... Vous avez l'air de vous y connaître mieux que moi !

— Ah ! Quand même ! Vous avez l'esprit pratique quand c'est nécessaire. Ce soir nous aurons donc des steaks, des pommes de terre frites et de la salade. Cela vous convient-il ?

— Parfaitement. Qui eût cru que vous saviez faire tant de choses !

— Il y en a encore bien d'autres que je vous apprendrai petit à petit, Tess !

Son regard se perdit dans les brumes du crépuscule.

Le dîner, arrosé d'un petit vin rosé délicieux, fut succulent. La nuit étoilée avait envahi le firmament et le calme régnait autour d'eux. Les oiseaux avaient cessé leur ramage et la brise était tombée. Posant sa tasse de café sur la table, Shep demanda :

— Voulez-vous faire un petit tour avant de regagner la ville ?

— Quel genre ? demanda-t-elle avec une moue malicieuse. Le dernier nous a fait parcourir au moins quinze kilomètres !

— Cette fois, nous n'irons qu'à Beetle Rock, promit-il.

— Où est-ce ?

— Vous ne me faites pas confiance ?

Elle répondit placidement avec un éclat de rire :

— Non !

Il l'attira à lui et glissa un bras autour de sa taille. Un bonheur sans mélange inonda l'officier lorsqu'elle osa le même geste et l'enlaça.

— Beetle Rock est ce rocher de granit où nous nous sommes assis tout à l'heure. Là-bas, vous voyez ? Croyez-vous pouvoir aller jusque-là ?

Elle posa la tête sur son épaule.

— D'accord, d'accord, je vous fais mes excuses les plus empressées pour avoir douté de votre parole !

— Les Irlandaises sont-elles toujours aussi méfiantes ?

Elle entendit à peine cette taquinerie. Levant le regard vers lui, ses lèvres s'entrouvrirent.

— Oh ! Shep ! murmura-t-elle.

Il s'arrêta et la serra contre lui, heureux de la sentir complice de la nuit qui les enveloppait. Au-dessus d'eux, les étoiles paraissaient si proches qu'on avait l'impression de pouvoir les saisir en tendant le bras. Au nord, la voie lactée brillait de mille feux, comme une grève dont les grains de sable scintilleraient à l'infini. Au sud, une bande plus sombre ressemblait à un océan déferlant sur cette plage de lumière.

Il se pencha vers elle, respirant son parfum, baisant ses cheveux.

— Que c'est beau ! chuchota-t-il.

Tess tremblait dans ses bras.

— Comme il fait clair !

— Pas de brouillard, ici ! C'est que nous sommes à douze cents mètres d'altitude ! Cela nous rapproche du ciel !

— Savez-vous depuis combien de temps je n'ai pas vu briller les étoiles ? Dix ans, au moins !

Il sourit.

— Ces merveilles manqueraient-elles à ma belle diplômée retirée dans sa tour d'ivoire de Rockwell ?

— Que voulez-vous dire ?

Glissant son autre bras autour de la taille de la jeune femme, il l'étreignit doucement. Ses cuisses se pressaient contre ses jambes, provoquant en lui une douloureuse conscience de son désir. Penchant le visage vers elle, il regarda ses yeux levés vers lui en une interrogation muette. Un étrange sourire passa sur ses lèvres.

— Vous voulez vraiment le savoir, ma princesse ?

Elle hocha la tête et posa la main sur sa poitrine.

— Oui, je veux vraiment savoir ce que vous pensez.

Le regard de Shep se perdit un moment dans la sombre immensité de la nuit. A voix basse, il expliqua :

— Quand je vous ai vue pour la première fois, j'ai eu l'impression très nette que vous n'étiez pas à votre place. Vous aviez l'air si vivant au milieu de tous ces gens aux mines compassées ! Je me souviens que vous portiez une robe ivoire un peu démodée, peu soucieuse sans doute des derniers modèles créés par les stylistes à la mode dans lesquels se pavanaient les autres femmes. Etait-ce votre manière d'afficher vos idées ? En tout cas, cela prouvait à quel point vous êtes différente de ceux qui hantent en général le monde des affaires.

— Qui y survivent, plutôt ! J'en viens à croire que je ne me connais pas moi-même. Chaque jour je vais au bureau et, chaque jour, c'est une bataille difficile. On dirait que tous les employés de Rockwell sont jaloux de moi. C'est l'enfer !

Son visage était empreint d'une souffrance réelle.

— Savez-vous que lorsque je suis arrivée au bureau, on a été jusqu'à dire que j'avais obtenu mes diplômes grâce aux faveurs des professeurs ?

Shep tendit la main vers elle et lui caressa la joue.

— Si cela peut vous consoler, Tess, je sais, moi, que vous avez en tout point mérité ces diplômes. Vous le prouvez d'ailleurs en tenant votre place toute seule depuis la mort de Jerry.

— C'est vrai, mais cela fait des jaloux parmi mes collègues ! Depuis qu'ils ont constaté que je suis capable de travailler par moi-même, ils cherchent à se débarrasser de ma personne par tous les moyens.

Des larmes inondèrent ses yeux.

— Pourquoi sont-ils si malveillants ? Je ne

comprends pas. Moi qui suis arrivée à Rockwell pleine d'enthousiasme et d'idéal, prête à mettre en pratique la formule : un pour tous, tous pour un !

Du revers de la main, elle essuya ses joues baignées de larmes et ajouta d'une voix plaintive :

— Je suis trop confiante, voilà tout ! Mais je ne peux tout de même pas prendre des manières masculines pour me maintenir à mon poste !

Il fronça les sourcils et l'entraîna doucement.

— Venez, marchons un peu.

La nuit était fraîche, mais le granit, chauffé toute la journée par le soleil, dégageait une tiédeur agréable. Ils s'assirent un peu plus loin, sur un gros rocher couvert de mousse.

— Vous vivez dans un monde totalement différent du mien, Tess, quoique, d'une certaine façon, la politique de l'Air Force soit tout aussi féroce que celle des milieux d'affaires. Il faut que vous vous endurcissiez si vous voulez survivre et que vous appreniez à jouer leur jeu.

— C'est-à-dire n'avoir confiance en personne, vérifier tout ce qu'on vous dit et feindre comme eux ? demanda-t-elle amèrement.

— Oui ! Et apprendre à juger correctement et à se protéger des calomnies.

— Qu'est devenue la règle d'or : ne fais pas à autrui ce que tu ne voudrais pas qu'on te fît ?

— On ne vous a donc pas appris ce qu'était la politique des affaires, à l'université ?

Elle haussa les épaules et renifla tristement.

— On y a fait allusion ! Mais les professeurs imaginent sans doute que les jeunes gens qui se lancent dans une carrière de ce genre ont un cœur de pierre, des dents de requin et une peau d'éléphant !

— Ce qui n'est pas votre cas, évidemment !

— Oh non, hélas! Et pourtant je prends un plaisir certain à affronter les difficultés dans mon travail. Mais il ne me viendrait pas à l'idée d'écraser quelqu'un sur mon passage pour atteindre mon but.

— Vous êtes un petit poisson d'or, pas un requin!

— J'aime votre humour, Shep. Tous les pilotes d'essai en ont-ils autant?

— Je suppose que oui. Ecoutez-moi, Tess. A l'avenir, ne vous laissez pas prendre aux feux croisés de la politique. Si les choses s'enveniment au bureau, nous en discuterons tous les deux. Sans me vanter, je crois pouvoir dire que je connais bien ce domaine et je serai toujours là pour vous aider de mes conseils. Vous viendrez pleurer sur mon épaule quand vous en sentirez le besoin. Promis?

— Je ne fais que cela! Vous n'en avez pas assez, à la longue?

Shep se leva et lui tendit la main. Epuisée, elle s'appuya contre lui, la tête sur son épaule. Il posa un baiser sur ses cheveux.

— Jamais je ne me lasserai de vous, ma belle. Allons, venez, il faut que je vous ramène à Los Angeles. Vous êtes exténuée.

— Physiquement, seulement! C'est une bonne fatigue. Pour la première fois, je ne me suis pas torturée moralement aujourd'hui.

C'était vrai. Combien de jours avait-elle vécus sans s'accuser de la mort de Jerry? sans avoir l'estomac noué à l'idée de rencontrer Derek Barton? Aucun jusqu'à ce dimanche. Elle regarda Shep avec un sentiment d'immense reconnaissance.

Lundi viendra trop vite, pensa-t-elle. Des moments de bonheur paisible comme ceux qu'elle venait de passer n'étaient qu'un éphémère

90

sursis à la rigueur du monde impitoyable où elle allait devoir se replonger. Avec un profond soupir, elle prit le bras de Shep et marcha en silence à ses côtés.

A sept heures et demie le lendemain matin, Tess entrait dans son bureau, persuadée que la journée serait mauvaise. La secrétaire de Dan était déjà au travail et les trois voyants de son téléphone clignotaient, indiquant qu'il y avait autant d'appels en attente.

Elle s'installa tristement à sa table et commença à étudier les dossiers. Mais son esprit ne pouvait chasser les images enchanteresses de la veille. Jamais son cœur ni sa mémoire n'oublieraient ce merveilleux dimanche... Comme il aurait été facile de permettre à Shep de l'aimer ! Mais elle n'était pas encore débarrassée de son sentiment de culpabilité et Shep avait accepté cette règle du jeu : lui permettre de retrouver son équilibre avant de s'engager définitivement.

— Tess ! appela Dan.

Elle se leva et alla le rejoindre.

— L'enfer se déchaîne contre nous depuis les allégations de Stockwell. Nos services de relations publiques ont organisé une réunion d'information à neuf heures. Je désire que vous y assistiez.

— D'accord. Je vais tout de suite me mettre en rapport avec eux et leur fournir les renseignements nécessaires.

Elle se hâta d'appeler Fred Berger, le chef du service de presse de Rockwell.

— Allô, Fred ? C'est Tess. Dan vient de me dire...

— Oui, oui, c'est très simple, Tess. Nous allons avoir à affronter tous les journalistes de Los Angeles qui sont nos adversaires acharnés. Ils ont la bouche pleine de ragots lancés par Stockwell. Il me faut les chiffres, les rapports et les plans d'exécution des travaux du B-1.

— Je vous apporte tout cela immédiatement et nous étudierons les moyens de parer l'attaque.

— De calmer leur rage, plutôt ! J'ai absolument besoin que vous ou Dan assistiez à cette conférence de presse. Ils vont essayer de nous avoir avec quelques-unes de ces questions techniques dont ils ont le secret !

— Je viens, répondit-elle, maudissant tout bas Stockwell et sa clique.

Sous les projecteurs de la télévision et les flashes des caméras, Tess essaya de rester calme. La salle de conférence était pleine à craquer et l'atmosphère houleuse. Elle admira le sang-froid de Fred en face de l'implacable cruauté des journalistes. Ils avaient le goût du sang ! Mentalement elle se remémora la conversation qu'elle avait eue avec Stockwell. Avait-elle été assez diplomate ? S'était-elle convenablement exprimée ?

Tu as répondu dc ton mieux, se dit-elle. Tu as exposé les faits avec précision.

Les faits ? Laissez-moi rire ! Tout le monde sait que les gens qui sont réunis ici s'en moquent éperdument et se contentent de demi-vérités.

Fred prit le micro et expliqua en détail ce que Tess avait résumé à Stockwell. Dès qu'il eut terminé, les questions fusèrent.

— Si vous avez des ingénieurs capables de faire des plans et des prévisions d'horaire, comment se fait-il que vous ayez pris de tels retards dans l'exécution de l'appareil ? Ces délais vont coûter très cher aux contribuables !

Fred jeta un regard à Tess. Elle se leva, se dirigea vers le podium et, après que Fred l'eut présentée au public, elle saisit le micro. Malgré les flashes qui la mettaient mal à l'aise, elle se contrôla et répondit tranquillement aux premières questions qu'on lui posa. Mais la colère s'empara d'elle lorsqu'un journaliste lui demanda :

— Dites-nous franchement si vos retards sont dus à votre incompétence en matière de gestion ou à votre méconnaissance des problèmes techniques.

— Puisque vous semblez incapable de comprendre les explications qui viennent de vous être données, fit-elle d'une voix métallique, je vais essayer d'être très terre à terre. Notre programme a été retardé parce qu'il s'agit d'un prototype de technologie avancée. N'oubliez pas, messieurs, que nous avons affaire à des êtres humains qui, grâce à leur expérience dans l'établissement des plans d'horaire, font de leur mieux pour établir des prévisions les plus exactes possible. S'il s'agissait de construire le second, le troisième ou le quatrième B-1, la durée d'exécution serait considérablement diminuée. Mais nous en sommes au prototype et personne ne peut se permettre de commettre la moindre erreur ni risquer la vie de nos pilotes.

L'affrontement se poursuivit quelque temps encore et se termina à son très net avantage. Lorsque, épuisée, elle regagna son bureau et s'écroula dans son fauteuil, Fred la rejoignit, la mine réjouie.

— Bravo ! fit-il. Vous êtes sûre que vous n'avez pas manqué votre vocation ? Vous devriez venir travailler avec nous aux relations publiques !

Elle sourit faiblement.

— Non merci ! J'ai eu l'impression d'être jetée dans la cage aux lions.

— Vous leur avez littéralement cloué le bec ! Et avec quelle maestria ! Je vous félicite, Tess !

— Pourquoi ne veulent-ils pas comprendre la simplicité de notre problème ? Comment ne se rendent-ils pas compte de ce que représentent sept années de technologie ? C'est comme si on passait de l'ère des cavernes à celle des ordinateurs.

— Oh ! Vous savez, les journalistes ne s'intéressent pas aux détails. S'ils peuvent mettre la main sur une histoire bien croustillante, au diable la vérité ! En tout cas, on peut dire que vous avez fait du beau travail. J'espère que le reste de votre journée sera un peu plus calme !

Chapitre 8

Le sénateur Diane Browning leva la tête en entendant son assistant, Greg Saint, grommeler entre ses dents :

— Zut ! Le voilà !

Elle regarda le personnage qui venait d'entrer et se demanda comment Stockwell avait pu la dénicher dans ce restaurant perdu d'Alexandria où elle espérait déjeuner tranquille.

— Il a peut-être rendez-vous avec quelqu'un ! murmura-t-elle.

— Cela m'étonnerait. Comme je le connais, il vous a suivie à la trace pour une raison précise.

Voyant que Stockwell l'avait repérée, elle fit un léger signe de la tête dans sa direction et se détourna aussitôt.

— Pourtant il ne doit pas se sentir à l'aise dans cet établissement que fréquentent seulement les ouvriers du quartier. Lui qui met un point d'honneur à se faire voir dans les meilleurs restaurants de la région ! nota l'assistant.

— Faites-moi une faveur, Greg. Prenez la voiture et rentrez. Je sens que nous allons avoir une partie de bras de fer. Inutile que vous y soyez mêlé.

Contrarié, le jeune homme se leva.

— Bon... Je prendrai un sandwich en chemin.

Voulez-vous que je vous apporte un gilet pare-balles ? demanda-t-il en riant.

Les yeux de Diane étincelèrent.

— Non, mais notre cher ami le sénateur regrettera peut-être de n'avoir pas pris le sien !

— J'espère bien que vous allez lui river son clou ! Il le mérite, l'imbécile. A tout à l'heure, madame.

Stockwell arborait un sourire patelin lorsqu'il atteignit la table de Diane.

— Vous n'êtes pas facile à joindre, chère madame ! Vous permettez que je me joigne à vous ?

— Je vous en prie, sénateur.

— J'avais envie de bavarder avec vous d'un sujet qui me tient à cœur et sur lequel j'aimerais avoir votre avis. Que pensez-vous des retards dans le programme du B-1 ? Est-ce qu'on vous tient au courant des problèmes que rencontre la construction de ce bombardier ?

Diane gardait les yeux fixés sur le menu qu'elle faisait semblant d'étudier avec attention. Comme si le sujet ne lui importait guère, elle répondit lentement :

— Mais oui, mais oui ! Je suis en rapport avec les gens de l'Air Force et de Rockwell. J'ai même eu connaissance de vos allégations concernant les questions d'argent, si c'est de cela que vous voulez parler, sénateur !

La serveuse vint prendre leur commande, interrompant momentanément la conversation. Dès qu'elle fut partie, Stockwell reprit :

— Vous mesurez sans doute que le prix d'un appareil atteint maintenant cinquante-quatre millions de dollars. Multipliez ce chiffre par le nombre de bombardiers commandés, soit deux cent quarante-quatre, et vous obtenez la somme astronomique de onze billions de dollars.

Un sourire rusé se dessina sur ses lèvres tandis qu'il ajoutait :

— Ce fiasco coûtera cinquante-cinq dollars à chacun de nos contribuables. Vous vous rendez compte ?

Diane posa placidement les coudes sur la table et se pencha vers le sénateur.

— Vous m'avez l'air de mélanger les données, sénateur. D'abord vous oubliez de dire que ces cinquante-quatre millions comprennent l'équipement du terrain d'essai et les pièces détachées. Ensuite, vous confondez dollars d'hier et dollars d'aujourd'hui. On n'a pas besoin d'être banquier pour savoir que l'inflation est responsable de l'escalade des prix et non pas une mauvaise gestion du programme, comme vous l'insinuez. Je suis certaine que l'Air Force et Rockwell n'ont aucune intention de prendre aveuglément de l'argent dans la poche des contribuables ni de retarder exprès un programme qu'ils ont tout intérêt à voir se réaliser le plus rapidement possible.

Dès que la serveuse leur eut apporté leur repas, Diane continua à exposer les raisons qu'elle avait de soutenir la construction du B-1. Stockwell réfléchit au potentiel qu'offrait le programme de défense qu'elle venait de lui exposer.

— Tout de même, fit-il d'un ton hargneux, ce B-1 n'est pas une panacée !

— Bien sûr que non, et je reconnais bien volontiers qu'il n'empêchera pas une crise politique au Moyen-Orient, à Chypre ou en Irlande. Mais il peut atténuer les pressions et éviter une confrontation armée. C'est un élément de dissuasion important et je crois que, dans cette optique, il vaut son pesant d'or. Mes électeurs en sont persuadés, eux aussi !

— Pas les miens, et vous savez parfaitement

que, si les démocrates prennent le pouvoir aux
prochaines élections, ils annuleront le programme B-1.

Diane haussa les épaules.

— Voyons, sénateur, il ne s'agit pas d'un
conflit politique, mais de la défense de notre
pays.

Poussé dans ses derniers retranchements,
Stockwell demeura un long moment silencieux.
Puis il s'adossa à sa chaise, plissa les yeux et fixa
Diane d'un regard cauteleux.

— Je vais vous faire une proposition, commença-t-il. Si vous acceptez de rester neutre dans
cette affaire, je vous obtiendrai en échange des
appuis pour votre campagne en faveur de l'égalité des droits de la femme. Vous êtes d'accord ?

Diane ne répondit pas tout de suite. Manifeste-
ment, Stockwell n'avait pas voulu entendre ses
explications ; la sécurité du pays était en jeu et
lui n'avait à lui proposer que des manœuvres
politiciennes. Elle refoula sa colère et lui adressa
un sourire pincé. Croyant déjà à la victoire, il
s'épanouit.

— Je ferai davantage encore pour vous. Je
militerai personnellement pour les droits de la
femme. Vous savez, je pense, que j'ai un certain
poids dans les comités que je préside.

Diane fut saisie de nausée. Toute cette cuisine
politique la dégoûtait.

— Désolée, sénateur, je ne mange pas de ce
pain-là. J'estime que le programme B-1 est la
seule solution valable à nos problèmes de défense
nationale. Je ne vais pas vendre mes convictions
pour un plat de lentilles. L'égalité de la femme,
tout le monde y viendra, c'est une question
d'éducation. Vos électeurs, eux aussi, une fois
bien informés, se rendront compte que le B-1 est
de la première importance pour la nation.

Complètement désarçonné, Stockwell tenta une dernière intervention.

— Mon influence n'est pas à dédaigner, vous savez ! Je peux vous obtenir d'énormes appuis !

Avec une moue désabusée, Diane laissa tomber sa serviette près de son assiette vide.

— Je n'en doute pas. Mais c'est un sujet qui n'est pas négociable. Je regrette.

— Vous êtes dure en affaires ! murmura-t-il.

Elle sourit, comprenant qu'elle avait gagné la partie haut la main.

— Soyons francs, sénateur. Vous avez peut-être intérêt à ne révéler que des demi-vérités et à ne donner que des demi-réponses, mais moi j'estime que c'est malhonnête.

— L'honnêteté ? Qu'est-ce donc que l'honnêteté ? Nous pourrions discuter des heures de ce qui est bien ou mal sans arriver à une conclusion satisfaisante.

— L'information ne se situe pas entre le bien et le mal. Elle est vraie ou fausse, répondit Diane sévèrement. De plus, elle doit être étayée par des faits.

— Tess Hamilton me les avait donnés !

— Vous n'avez sans doute pas pris le temps de l'écouter attentivement. Si vous voulez, je la rencontrerai le plus vite possible pour vérifier tout cela noir sur blanc.

— Très bonne idée, fit Stockwell en se levant. Vous me ferez savoir quelles histoires ils ont inventées aujourd'hui à Rockwell, cela me divertira beaucoup ! On pourrait dîner ensemble la semaine prochaine et vous m'informerez des dernières excuses qu'ils auront trouvées !

Diane se dressa à son tour, apparemment imperturbable.

— Allons, sénateur, je ne veux pas perdre plus de temps avec vous, d'autant que je sais parfaitement que vous ne militez pas en faveur des droits de la femme.

L'insulte ne le toucha pas.

— Laissez-moi payer le déjeuner. C'est le moins que je puisse faire.

En effet, pensa-t-elle avec un petit sourire ironique, d'autant plus qu'il va me falloir deux Alka-Seltzer au moins pour le digérer ! Mon Dieu ! Pourvu que Greg ait pensé à en acheter !

Si je ne sors pas d'ici, je vais devenir cinglée, se dit Tess excédée. D'un geste fatigué, elle lissa ses cheveux strictement relevés en un chignon serré. La journée avait mal commencé. A neuf heures du matin, elle avait reçu un coup de téléphone des services du sénateur Diane Browning lui demandant de réunir certaines informations de toute urgence et de les faire parvenir à son bureau. Il était maintenant dix-sept heures trente. Elle n'avait pas bougé de sa table de travail, même pas pour aller déjeuner.

Dans le couloir, elle entendit une voix grave s'adresser à sa secrétaire. Fronçant les sourcils, elle s'apprêtait à renvoyer l'importun, mais la porte de son bureau s'ouvrit brusquement.

— Il paraît que vous êtes comme un ours en cage !

Tess sursauta et leva la tête. Son cœur bondit de joie.

— Shep ! s'écria-t-elle, comment...

Il entra tranquillement, superbe et incroyablement sûr de lui dans son bel uniforme bleu marine. Il observa les traits tirés de la jeune femme.

— Vous n'êtes pas au courant ? Il y avait aujourd'hui un meeting de tous les pilotes d'essai avec l'équipe de contrôle aérien.

— Si... mais j'avais oublié...

Il la fixa intensément.

— Que cela me fait plaisir de vous voir, ma belle !

Un frisson courut le long de sa colonne vertébrale et un sourire fatigué étira ses lèvres. Combien de jours s'étaient écoulés depuis leur promenade sous les séquoias ? Une semaine déjà ? C'était impossible ! Elle laissa son regard errer sur les lèvres du bel officier, évoquant le trouble qu'elle avait ressenti sous ses baisers.

— Mon Dieu, fit-elle, on vous a dit vrai ! Je suis comme un ours en cage...

— Qui a besoin d'être nourri, je pense.

— Je meurs de faim, en effet. C'est une invitation à dîner que vous me faites ?

— Oui, ma belle. J'ai même apporté des vêtements civils dans l'espoir de persuader une certaine dame très désirable de m'accompagner, incognito, au restaurant.

— Ah ! Je vois ! Vous avez tout prévu !

— J'ai pour devise : ne jamais affronter une situation sans être préparé.

Tess se leva en riant.

— Dans ce cas, je ne voudrais à aucun prix vous décevoir, capitaine Ramsey. Allons dîner.

— Et danser ?

La pensée d'être de nouveau dans ses bras lui donna le vertige. Elle s'arrêta au coin de son bureau et soutint son regard. Inconsciemment, ses lèvres s'entrouvrirent. Un sentiment délicieux l'envahit.

— Je... Voyons... je... murmura-t-elle d'une voix mal assurée.

De vieilles sensations de culpabilité ressurgirent à l'improviste. Se pardonnerait-elle jamais cette nuit sur le balcon ? Elle chassa du mieux qu'elle put ces tristes pensées.

— Avez-vous envie d'un bon steak ? demanda-t-elle.

— Oh oui ! Saignant et bien tendre ! L'eau m'en vient à la bouche !

Elle fit la grimace.

— Saignant ! Quelle horreur ! Vous êtes une bête fauve, capitaine !

— Eh oui ! répondit-il avec un regard qui en disait long. Dans certains domaines, je suis vraiment un animal sauvage !

Chapitre 9

Après un excellent dîner dans un charmant restaurant à l'atmosphère intime, qui leur avait donné l'impression d'être seuls au monde, Tess vidait à petites gorgées son verre de bourgogne, sans quitter son compagnon du regard.

Son costume civil, qu'il avait rapidement endossé chez elle avant de la conduire au restaurant, accentuait sa carrure musclée. Bref, pensa-t-elle, en uniforme ou sans, Shep Ramsey a de la classe. Un sourire se dessina sur ses lèvres.

— Pourquoi souriez-vous ? demanda-t-il.

Surprise, elle répondit :

— Rien ne vous échappe, n'est-ce pas ?

— Non, pas lorsque cela vous concerne.

Le timbre de sa voix était chaud et tendre, mais elle ne voulait pas s'y laisser prendre... pas encore... Elle avait encore peur.

Son visage avait sans doute reflété le cours de ses pensées car, tendant la main vers elle, il murmura :

— Quelque chose ne va pas ?

— Non, non, dit-elle en détournant les yeux.

— Vous ne savez pas mentir, Tess !

Le contact de ses doigts était troublant et elle avait envie... Mais où donc se laissait-elle entraîner ? Jerry n'était mort que depuis sept mois et

103

déjà elle désirait... un autre homme ! Vivement elle retira sa main.

— Vous voulez vraiment savoir ?

— Bien sûr, fit-il gravement.

Elle se passa la langue sur les lèvres et lui jeta un regard incertain.

— Je ne suis pas sûre de moi, Shep... en ce qui nous concerne. Je me sens coupable...

— La culpabilité est un sentiment empoisonné. Vous avez des remords, non pas parce que nous nous sommes embrassés sur le balcon, mais parce que Jerry l'a appris.

— Peut-être.

Les coudes sur la table, il la regarda avec tendresse.

— Le trait le plus attachant de votre personnalité est une malédiction pour vous, Tess.

— Qu'est-ce donc ? demanda-t-elle d'une voix à peine audible.

— Votre vulnérabilité, votre façon presque enfantine de voir les choses de ce monde complexe où nous vivons. J'aimerais vous faire comprendre la nature de la culpabilité que vous ressentez. Si vous étiez plus âgée, si vous aviez plus d'expérience, vous analyseriez mieux la situation et ne vous laisseriez pas dominer par ce sentiment. Ne prenez pas cela pour une insulte, Tess. Remettez simplement les choses à leur place.

Tess chiffonnait nerveusement sa serviette sur ses genoux.

— Vous ne vous êtes jamais senti coupable, vous ?

— Oui et non, répondit-il après une hésitation. J'ai surtout été très malheureux de vous voir tellement perturbée. Mais je n'ai jamais regretté de vous avoir embrassée... Je ne le regretterai jamais, d'ailleurs.

Elle lui jeta un regard incrédule.

— Mais vous étiez marié à l'époque! Vous trompiez votre femme tout comme moi, mon mari!

Mal à l'aise devant le ton que prenait la conversation, Shep s'agita sur sa chaise.

— Oh! Tess, ce baiser que nous avons échangé était pur et honnête. Il n'y entrait aucun calcul. C'était un irrésistible élan du cœur. Je n'essaie pas de me trouver des excuses, mais ne vous punissez pas d'une prétendue faute que vous ne parvenez pas à vous pardonner.

Le regard de Tess flamboya.

— Ce n'est pas parce que vous êtes capable de juger tout cela froidement et égoïstement que je dois en faire autant.

— J'essaie simplement de vous amener à découvrir vos vrais sentiments.

— Comment ?

— Ecoutez, Tess... Pendant les sept mois qui viennent de s'écouler, j'ai eu mille fois envie de venir vous retrouver mais je m'en suis abstenu, estimant que vous aviez besoin d'un certain temps pour vous remettre du choc de la mort de Jerry. Mais il faut maintenant réagir et commencer à revivre.

— Pour qui ? Pour vous ?

Sentant monter sa colère, Shep se tut. Il ne servait à rien de discuter dans ces conditions. Il n'avait pas provoqué cette conversation et ne désirait pas la voir se poursuivre de cette manière. Il ne souhaitait qu'une chose : lui donner une raison de vivre, un moyen de retrouver son équilibre et de découvrir les nouvelles facettes de sa propre personnalité. Peut-être la colère était-elle un catalyseur nécessaire. Son cœur se serra quand il vit les larmes envahir les deux lacs bleus devant lui, les rendant brillants comme des saphirs liquides. D'un geste tendre, il lui serra le bras.

— Allons, venez faire un tour dans le parc voisin, cela vous fera du bien et nous pourrons bavarder.

Elle prit son châle irlandais et le jeta sur ses épaules. La main de Shep posée sur son bras la brûlait comme un tison.

— Ramenez-moi chez moi, murmura-t-elle, serrant son châle sur sa poitrine.

Il ouvrit la portière de la voiture et l'aida à s'installer.

— Ce n'est pas une solution, Tess !

Elle se tut obstinément pendant qu'il reprenait la route de Los Angeles. A quelques mètres du restaurant, un parc formait une oasis accueillante et calme. Des palmiers surplombaient les parterres de fleurs et les buissons d'hibiscus disséminés à la surface des vastes pelouses.

Shep coupa le contact et regarda Tess. Elle était toujours muette et tendue.

— Je me demande, murmura-t-il, si vous réussirez jamais à vous débarrasser de cette colère destructrice qui est en vous depuis la mort de Jerry.

Elle pinça les lèvres, refusant de croiser son regard, le cœur battant et les nerfs vrillés.

— Je ne pense pas à la mort de Jerry avec colère ! lança-t-elle.

— Non, mais vous en ressentez pour les prétendues causes de son décès.

Elle le dévisagea, les yeux rétrécis de fureur.

— Que le diable vous emporte, Shep ! J'ai eu la semaine la plus exténuante que l'on puisse imaginer et je n'ai vraiment pas besoin maintenant de vos élucubrations de psychanalyste amateur. Reconduisez-moi chez moi, c'est tout ce que je vous demande. Je n'ai pas la moindre intention de me soumettre à un interrogatoire ce soir.

— Très bien, Tess. Restons-en là. Je vais cesser de me tourmenter pour vous puisque vous ne voulez rien entendre. Vous avez besoin de réfléchir longuement avant de vous remettre en selle. Voyons les choses en face : vous haïssez Derek Barton et vous vous accrochez à votre sentiment de culpabilité. Tant que vous resterez dans ces dispositions, vous ne résoudrez aucun de vos problèmes et moi-même ne pourrai rien pour vous.

Il poursuivit d'une voix sourde :

— Vous ne vivez qu'à demi, Tess. Vous passez à travers les jours comme à travers un brouillard épais. Je veux que vous repreniez une existence normale et que vous cessiez de vous préoccuper de ce que pensent ou disent les autres.

Elle ouvrit brusquement la portière et s'élança sur la pelouse du parc. Un sanglot déchira sa gorge tandis qu'elle courait comme une folle, cherchant à échapper à celui dont elle entendait les pas précipités se rapprocher.

Au moment où Shep la saisit aux épaules et l'obligea à s'arrêter, les dernières épingles qui retenaient son chignon tombèrent. Son épaisse chevelure se dénoua lentement.

— Non, s'écria-t-elle, tentant de l'éloigner, laissez-moi.

Mais autant essayer de repousser un mur !

— Assez, Tess, dit-il fermement, l'immobilisant complètement.

Les larmes ruisselèrent le long de ses joues. Il fallait qu'il la lâche ! Mon Dieu ! Il était si près d'elle, si attirant ! Malgré tous ses griefs, Tess était sensible à son contact qui l'étourdissait et enflammait ses sens. Incapable de lutter davantage, elle s'écroula contre lui, secouée de sanglots.

Il la serra tendrement et enfouit son visage dans ses cheveux, respirant le doux parfum de jasmin qui s'en dégageait, glissant les doigts à travers les mèches emmêlées, enflammé de désir jusqu'à la souffrance. Il lui chuchota des mots doux, réconfortants, baisa ses joues trempées de larmes et essaya de la calmer du mieux qu'il put, la berçant tendrement dans ses bras.

— Pleurez tant que vous voudrez, ma chérie. Cela vous fera du bien. Mon Dieu, comme je regrette de vous causer tant de chagrin !

Il l'obligea à relever la tête et à le regarder. Ses longs cils mouillés de larmes encadraient d'immenses yeux angoissés, d'une beauté si fragile qu'il en eut le souffle coupé. Il se pencha et effleura ses lèvres. Elle résista d'abord, immobile et contractée, mais il la sentit frémir au fur et à mesure qu'il appuyait son baiser. Finalement, elle entrouvrit les lèvres et se laissa aller contre lui.

La rage et le désespoir se mêlaient en elle. Leur baiser passionné semblait scellé par les larmes. Tess sentit tout le courage et la force que Shep essayait de lui transmettre. Elle se dégagea lentement. Il repoussa une mèche de cheveux qui barrait son front.

— C'est mieux ainsi, dit-il simplement, la voix pleine d'émotion.

Elle le regarda en silence.

— Qu'est-ce qui est mieux ainsi ? Mon chagrin ?

Il hocha la tête.

— Oui. Mieux vaut l'accepter et repartir du bon pied.

Elle se couvrit le visage de ses mains tremblantes.

108

— Oh ! Shep ! Je ne sais plus où j'en suis. Qu'ai-je fait de ma vie pour être restée si vulnérable ?

— Ne vous jugez pas trop sévèrement, ma chérie. Chacun doit réaliser ses propres expériences. Ce n'est pas votre faute si l'on vous a inculqué l'idée qu'une seule chose comptait dans l'existence : obtenir des diplômes. Tout votre univers se résume en une série d'écoles et de collèges. Rien d'étonnant à ce que vous ne sachiez pas contrôler vos émotions !

Il lui sourit tendrement.

— Vous êtes de souche irlandaise, c'est du solide ! Vous avez en vous ce qu'il faut pour dominer la situation dès que vous aurez décidé de le faire.

Elle lui jeta un regard incertain.

— Je ne peux rien vous promettre, Shep.

— Je ne vous le demande pas ! Je souhaite simplement que vous vous en sortiez et que nous arrivions à mieux nous connaître. Mais nous n'aurons aucune chance d'y parvenir si vous restez obstinément murée dans votre passé.

Lui prenant doucement le bras, il ajouta avec une certaine assurance :

— Vous avez une manière de réagir à mes baisers qui me donne à penser que je ne vous suis pas indifférent. Quant à moi, je suis sûr de mes sentiments.

Il avait raison. Jamais elle n'avait éprouvé tant de passion et de désir pour un autre homme, et jamais non plus elle ne s'était sentie aussi heureuse dans d'autres bras.

— Nous vivons si loin l'un de l'autre ! Deux heures de trajet, fit-elle tristement.

Il haussa les épaules.

— Et alors ? On peut se voir les week-ends et

les jours où je viendrai à Rockwell en service commandé.

— Ma vie tourne beaucoup trop autour de Rockwell !

— Voilà ce que c'est que de prendre trop de responsabilités ! Sous prétexte que vous êtes une femme, au sein d'une société composée presque uniquement de personnel masculin, vous vous croyez obligée de travailler deux fois plus que nécessaire. Ne recherchez donc pas l'approbation des autres. La vôtre suffit. Faites votre travail de votre mieux et contentez-vous-en. Et surtout, gardez vos week-ends pour vous. Ne les consacrez pas à la compagnie.

— Vous savez, je ne suis pas sûre que ma position y soit si stable après ce qui s'est passé la semaine dernière. Stockwell a essayé de me mettre au pilori. Vous avez lu les journaux, je suppose, et vous avez vu mon nom traîné dans la boue dans tous les articles concernant le B-1. Il m'a fait passer pour une incapable.

Un soupir amer lui échappa mais la ferme étreinte de Shep la rassura.

— Je me suis battue comme une tigresse pour garder mon poste après la mort de Jerry. Maintenant, Stockwell cherche à me destituer en publiant des mensonges.

— Désolé, princesse, mais après avoir lu les journaux j'ai parlé de ces événements avec les responsables de l'Air Force et je n'ai trouvé personne pour vous taxer d'incompétence.

Tess sentit le poids d'un bras protecteur peser sur ses épaules.

— Et pour ce qui est de mes week-ends, voyez comme c'est difficile. Samedi prochain il faudra que j'aille travailler au département des relations publiques. Nous avons une réunion avec les médias qui soutiennent le point de vue du sénateur Browning; nous sommes certains que le public reconnaîtra les raisons qui nous font soutenir le projet du B-1 si nous exposons clairement les faits.

— Et dimanche? demanda Shep d'une voix douce, heureux de la sentir de nouveau si proche.

Sous la clarté de la lune, ses cheveux lui faisaient un casque d'or aux reflets cuivrés. La regarder est une fête pour les yeux et pour le cœur, pensa Shep.

— Alors? insista-t-il.

— Je crois que j'aurai bien mérité un jour de repos, dit-elle avec un large sourire.

— Moi aussi!

Comme il était généreux et comme elle était fière de connaître son vrai visage, que seuls des amis sincères savaient découvrir sous le masque sérieux de l'officier.

— Vous avez des projets à me soumettre?

— Des quantités! Mais au point où nous en sommes, seuls deux ou trois me paraissent réalisables.

— Quels sont-ils?

— Que diriez-vous d'un pique-nique dans le désert?

— Il n'y fait pas un peu trop froid? J'ai entendu parler de rafales de vent...

— Vous avez raison. Nous pourrions peut-être aller à la plage?

— Avec plaisir!

Elle regarda ses traits adoucis et détendus et ressentit un étrange mélange d'émotions. Oui! il fallait absolument qu'elle oublie le passé et qu'elle recommence à vivre. Demain... Demain serait un autre jour... une renaissance.

La sonnerie stridente du téléphone la fit émerger trop tôt du sommeil réparateur où elle était tombée en rentrant la veille au soir. Elle saisit l'appareil, louchant vers la pendulette. Il était sept heures du matin et on était dimanche.

— Allô ! murmura-t-elle.

— Tess ! C'est Fred. Il faut que vous veniez tout de suite.

Elle se frotta les yeux.

— Comment cela, maintenant ?

— Oui ! Les gros titres des journaux annoncent ce matin que le B-1 est une catastrophe pour l'environnement. On a tous les écologistes sur le dos et le téléphone n'arrête pas. Vous savez que Dan est absent pour le week-end. J'ai absolument besoin de vous pour sortir de ce pétrin. Pouvez-vous venir très vite ?

Il avait l'air terriblement inquiet. Tess fit un effort pour retrouver sa lucidité et reprendre pied dans la réalité. Shep devait venir la chercher à dix heures. Avait-elle son numéro de téléphone ? Il faut le prévenir tout de suite, se dit-elle avec désespoir.

— J'arrive, Fred.

— Dieu soit loué ! Hâtez-vous.

Elle prit une douche en vitesse, revêtit une robe abricot et se précipita vers sa voiture. Dans sa tête, tout se mélangeait : Shep, les articles des journaux, le B-1, l'environnement. Etait-ce encore un coup du sénateur Stockwell ?

Fred la vit entrer dans le bureau avec soulagement. Il avait le visage tendu et de petites gouttes de sueur perlaient à son front et sur sa lèvre supérieure.

— Fred, avez-vous les numéros de téléphone des pilotes d'essai du B-1 ? demanda-t-elle aussitôt.

— Euh... non. Pourquoi ?

— Il faut absolument que je parle au capitaine Ramsey.

Fred se dirigea vers un autre bureau dont il ouvrit le tiroir.

— Ma secrétaire a dû les noter dans ce carnet. Consultez-le pendant que je réponds au téléphone.

Elle trouva le numéro personnel de Shep à Lancaster et le demanda immédiatement. Elle attendit vainement plusieurs minutes et raccrocha à contrecœur, l'estomac noué par l'appréhension.

Aussitôt la sonnerie retentit et ne cessa plus pendant cinq heures d'affilée. Vers treize heures, exténuée et livide, elle regarda Fred : il n'était pas en meilleure forme qu'elle ! Si seulement ils pouvaient prendre un moment de repos ! Mais encore une fois la sonnerie retentit et, avec lassitude, elle décrocha.

— Allô ? Ici les relations publiques de Rockwell.

— Greg Saint à l'appareil, l'assistant du sénateur Browning.

Tess leva les yeux au ciel.

— Oui, Greg. Que puis-je pour vous ?

— Vous avez lu les journaux ? Nous savons parfaitement que le B-1 ne polluera pas plus l'atmosphère que le B-52 mais comment en convaincre les foules maintenant que Stockwell a jeté cet os aux écologistes ? Les gens sont réellement furieux. Le sénateur Browning va revenir d'urgence de Camp David aujourd'hui même pour tenter de calmer les esprits.

— Qu'est-ce qu'il veut au juste, ce Stockwell ?

— Bloquer l'aide financière au B-1 et le rayer du budget de la Défense. Dites-moi, pensez-vous rester toute la journée à votre bureau ?

— Hélas oui ! Nous demeurerons sur place jusqu'à ce que la voie d'eau ait été colmatée !

Greg ne put s'empêcher de rire.

— Stockwell est vraiment passé maître dans l'art de manipuler l'opinion publique, dit-il.

— Si seulement on pouvait prévoir ce qu'il va manigancer, il serait plus facile de le neutraliser. Mais pour l'instant c'est la course poursuite ! Et cela ne vaut rien pour la réputation de Rockwell. Nous sommes constamment sur la défensive. Fred est en train de préparer une note pour éclaircir tous les points litigieux.

— C'est formidable. Bon. Je vous rappelle dans un moment.

Elle raccrocha. Le pauvre Fred la regardait, les yeux rouges de fatigue. Il vint s'asseoir près d'elle.

— J'ai en effet composé plusieurs articles pour répondre aux critiques.

— Parfait. Quand Greg retéléphonera, vous prendrez la communication et vous tâcherez d'élaborer avec lui une stratégie de défense publicitaire. Il ne faut surtout pas avoir l'air de rester assis, les bras croisés. A notre tour, donnons nos informations.

— Je vous dois mille remerciements, Tess. Rien ne vous obligeait à venir m'aider aujourd'hui, d'autant plus que les relations publiques ne sont pas votre domaine.

Il l'observa un long moment, sourit pensivement et ajouta :

— Vous savez, j'ai entendu tout ce qu'on a raconté sur vous, ici, depuis la mort de Jerry et je suis convaincu qu'on vous juge très mal et qu'on a tort.

Il se leva.

— Je vais chercher quelque chose à manger. Vous voulez bien garder la forteresse en mon absence ?

Elle hocha la tête.

Dès qu'il fut sorti, elle bondit sur le téléphone.

Plusieurs fois, au cours de cette longue matinée, elle avait refait le numéro de Shep, sans résultat. Qui mieux que Tom pourrait la renseigner sur l'endroit où elle pourrait·le joindre ?

— Allô ? Ici le major Cunningham.

Tess ferma les yeux, soulagée.

— Tom ! C'est Tess Hamilton. J'essaie de trouver Shep. Savez-vous où il est ?

— Euh... je croyais que vous étiez à la plage tous les deux !

— C'est ce qui était prévu... mais j'ai eu un contretemps...

Rapidement elle lui expliqua la situation.

— Il faut absolument que je lui parle, Tom. J'ai tellement peur qu'il s'imagine... que je me suis dérobée au dernier moment et que je...

— Je vais faire mon possible, Tess, fit-il d'une voix rassurante. J'appelle tout de suite quelques copains de la base et si j'obtiens le renseignement, je le préviendrai que vous attendez son coup de téléphone.

— Oh oui ! Faites cela, je vous en prie. Je ne sais pas combien de temps encore il va me falloir rester au bureau.

Sa voix était pleine de regret et d'inquiétude. Que devait penser Shep ? Sans doute qu'elle avait faibli au dernier moment ! Il était sûrement furieux contre elle et blessé.

Soudain elle eut peur... effroyablement peur, comme si le sol se dérobait sous ses pieds. Les dernières manigances de Stockwell venaient bouleverser sa vie privée.

— Donnez-moi votre numéro de téléphone au bureau, suggéra Tom. Je sais que Shep a votre numéro personnel.

— Oh ! Tom, fit-elle d'une voix mal assurée, je... nous nous sommes terriblement disputés lundi dernier... je crains qu'il se fasse des idées sur les raisons de mon absence.

Il y eut un long silence à l'autre bout du fil. Mais bientôt elle entendit la voix calme de Tom lui dire :

— Shep tient énormément à vous, Tess. Il attend toujours que vous vous libériez de votre passé.

Avec un petit rire il ajouta :

— Les pilotes d'essai ont une réputation surfaite. Nous ne sommes pas des coureurs de jupons, vous savez !

— Je n'ai jamais pensé une chose pareille !

— Eh bien, il croit que si ! Il s'imagine que vous le voyez sous un mauvais jour à cause de ce qui s'est passé lors de votre première rencontre et de la soudaineté de son divorce. Il est persuadé que vous le considérez comme un coureur.

— Mais...

— Ecoutez-moi, Tess. Le mariage de Shep et d'Allyson était voué à l'échec dès le départ. Ils n'étaient pas faits l'un pour l'autre. Shep a bien essayé d'arranger les choses, mais Allyson n'est qu'une petite écervelée préoccupée uniquement de réussite sociale. Elle s'est servi de Shep comme d'un tremplin vers le succès. Quand il a compris qu'elle ne l'aimait pas, il a tenté de repartir sur de nouvelles bases. Sans résultat. Après, il y a eu la maladie et la mort de ma femme qui a créé chez lui comme une cassure. Je n'ai jamais très bien compris ce qui s'était passé en lui. Evidemment, il n'ignorait rien des liens profonds qui m'unissaient à ma chère Mary et il m'a aidé à traverser cette cruelle épreuve. Pour la première fois de sa vie, il voyait ce qu'était un véritable amour et il a partagé avec moi l'effroyable douleur d'une telle perte. Il croit au mariage, Tess !

Il hésita un moment, comme s'il cherchait ses mots.

— Mais il faut être deux pour le réaliser. Quand l'un des deux s'en va, quelque chose meurt chez l'autre. Lorsque Shep vous a embrassée, c'était un véritable élan du cœur... Allyson avait depuis longtemps privé leur union de toute signification.

Tess sentait sa gorge se nouer. Elle avala difficilement sa salive et murmura :

— Mon Dieu, Tom... je ne savais rien de tout cela... Pourquoi ne m'en a-t-il jamais parlé ?

— Comment l'aurait-il pu ? Après la mort de votre mari, vous vous étiez laissé entraîner sur la pente des remords ! Vous vous sentiez coupable à cause des racontars d'un imbécile que vous avez avalés sans discernement. Vous vous êtes persuadée que vous étiez responsable de la mort de Jerry alors que tout le monde sait qu'il s'est tué au travail. Que pouvait faire Shep sinon attendre et voir ?

— Tom, je vous en prie, aidez-moi. Vous êtes son meilleur ami. Que va-t-il arriver s'il s'imagine que... je ne tiens plus à lui ?

— Parce que vous y tenez vraiment ?

La question l'atteignit de plein fouet.

— Bien sûr ! Comment pouvez-vous en douter ?

— C'est que vos façons d'agir ne l'ont pas prouvé, répondit Tom sèchement.

Il avait raison ! Le cœur de Tess se serra.

— Comment le convaincre de la réalité de mes sentiments ?

— Vous souhaitez vraiment que je vous le dise ?

— Oh oui, Tom.

— Alors, prenez votre voiture et venez ici dès que vous en aurez la possibilité. Ne perdez pas votre temps à téléphoner, vous ne le joindrez pas. Personne ne sait où il est.

— S'il n'est ni chez lui ni à la base, où se trouve-t-il ?

— C'est vous qui me le direz, Tess. Il tourne peut-être en ville au volant de sa voiture à moins qu'il ne soit allé à la plage faire un peu d'exercice.

Tess serra les poings.

— Que fait un homme lorsqu'il est blessé, Tom ?

Le major fit entendre un petit rire.

— Il commence par boire un bon coup. L'ivresse calme la douleur. Quand il reprend ses esprits, il essaie de débrouiller l'écheveau de sa vie. Mais ne vous inquiétez pas. Je connais bien mon ami et je suis sûr qu'il est en train de rouler sans but, cherchant à comprendre pourquoi vous n'êtes pas venue ce matin.

— Dès que j'aurai quelqu'un pour me remplacer ici, j'arrive.

— Entendu. Mais il est presque seize heures. Je vous rappelle que de Los Angeles à Lancaster il y a deux bonnes heures de trajet.

— Cela dépend...

— Ne dites pas de bêtises et surtout n'en faites pas, Tess. Vous seriez bien avancée si vous aviez un accident ! Attendez, je vais vous donner l'adresse de Shep et la mienne. Nous habitons à quelques pas l'un de l'autre. Si vous ne le trouvez pas chez lui, vous viendrez vous réfugier chez moi.

Elle nota soigneusement les renseignements qu'il lui dicta.

— Merci, Tom. Je vous dois beaucoup !

— Vous pouvez m'en dédommager en rendant Shep heureux. Laissez-lui tenter sa chance et vous prouver que vous pouvez faire un bout de chemin ensemble. Enfin ! A tout à l'heure, Tess.

Elle raccrocha, le visage soucieux. Fred revint sur ces entrefaites, les bras chargés de victuailles.

— Vous avez envie de manger chinois, j'espère.

— Pourquoi pas ? répondit-elle, se forçant à sourire.

Avec lassitude, Tess regarda sa montre-bracelet. Il était vingt heures. Le téléphone n'avait pas arrêté. Fred avait bien essayé de joindre quelques-uns de ses collègues pour leur demander de l'aide, mais en ce dimanche, tous étaient absents ou occupés.

Une demi-heure plus tard, épuisée et à bout de nerfs, Tess se glissa dans sa Toyota, boucla sa ceinture et prit la direction de Lancaster.

Chapitre 10

Il faisait sombre et le vent du désert du Mojave soufflait en rafales. Tess dut se cramponner au volant pour maintenir sa voiture sur la route. Bientôt les lumières de Lancaster scintillèrent dans la nuit. N'ayant aucune carte de la ville, elle mit une bonne demi-heure à trouver la rue où habitait Shep. Les maisons d'un seul étage recouvertes de stuc se ressemblaient toutes.

Quand elle s'aperçut qu'aucune lumière ne brillait dans la demeure de Shep, elle faillit céder au désespoir. Heureusement, quelques mètres plus loin, celle de Tom était éclairée. Elle gara sa Toyota devant chez lui, resta quelques minutes assise à essayer de se ressaisir puis ramassa son sac et son manteau et alla sonner à la porte.

Tom ouvrit immédiatement, l'expression préoccupée.

— Je commençais à m'inquiéter pour vous, dit-il.

Elle entra et le regarda anxieusement.

— L'avez-vous trouvé ?

— Non. Venez, je vais vous faire du café.

— Merci, Tom.

— Je l'ai cherché partout, j'ai donné plusieurs coups de téléphone... personne ne l'a vu de la journée.

Avec un sourire rassurant il ajouta :

— Ne vous en faites pas, il reviendra. Il doit faire un vol d'entraînement demain à huit heures. Il ne tardera donc pas à rentrer. Il tient toujours à bien dormir avant de prendre son service.

— Même dans des circonstances comme celles-ci ? demanda-t-elle, le suivant dans la cuisine où il versa deux tasses de café.

— C'est une autre paire de manches, évidemment.

Ils s'assirent dans le living et Tess but son café à petites gorgées.

— Je vais aller l'attendre chez lui, si vous avez la clé.

Il la regarda avec un sourire.

— Et s'il ramenait une femme ?

Incrédule, elle murmura :

— Aucune importance.

— Notez bien que cela m'étonnerait fort. Mais j'ai pensé qu'il valait mieux vous faire envisager toutes les éventualités.

Les doigts de Tess se crispèrent sur sa tasse.

— Il a quelqu'un dans sa vie ?

— Non, mais un homme peut faire des bêtises quand il souffre. Tenez, voilà la clé de sa maison. Je vais vous y accompagner. Il ne tardera plus maintenant.

— Merci.

Tom l'installa confortablement chez son ami et regagna son domicile.

Il y avait une énorme différence entre l'intérieur des deux maisons. Alors que chez Tom, tout était simple et facile à vivre, ici, le mobilier riche et la décoration sortie directement du magazine *Art et Décoration* témoignait du goût qu'avait Allyson pour les styles à la mode : moquette gris taupe, meubles laqués blancs, table de verre aux pieds de cuivre. Tess se sentit mal à l'aise dans ce décor impersonnel.

La chambre à coucher était, elle aussi, froide et sans âme. Elle s'assit au bord de l'un des lits jumeaux, se demandant si Shep aimait vraiment vivre dans cet univers.

La fatigue pesait lourdement sur ses épaules. Elle regarda sa montre-bracelet : onze heures déjà ! Ses paupières battaient. Pourtant il fallait absolument qu'elle reste éveillée. Mais il n'était pas défendu de s'étendre un peu pour se délasser. Elle ôta ses souliers, s'adossa au gros oreiller blanc. Les plis de sa robe légère dessinaient les courbes gracieuses de son corps. Bientôt, jambes repliées et tête posée sur ses mains jointes, elle ferma les yeux, cessant de lutter contre le sommeil.

Dès que Shep eut garé sa voiture devant chez lui et qu'il aperçut la lumière dans sa cuisine, il fronça les sourcils. Tom était-il venu ? Pourquoi donc ? Il ramassa sa veste et le panier de pique-nique inutilisé et gagna la porte. Elle n'était pas verrouillée.

— Tom ? appela-t-il.

S'il n'était pas là, pourquoi la porte était-elle restée ouverte ? Il posa ses affaires sur la table de la cuisine et se dirigea vers le salon. La journée avait été pénible et longue ; demain, il fallait être en forme. Il décida d'aller se coucher et d'éclaircir le mystère avec Tom à la première heure.

La chambre à coucher était plongée dans l'obscurité. Seul un faible rayon de lune passait à travers la fenêtre entrouverte. La nuit était calme. On entendait au loin les cris des coyotes.

Son oreille exercée perçut quelque chose d'anormal dès qu'il eut franchi le seuil de la pièce. Il n'alluma pas. Ses yeux s'habituaient petit à petit à la pénombre. Bientôt, il crut distinguer une forme étendue sur l'un des lits. Il s'immobilisa. Rêvait-il ? Le désespoir qu'il avait ressenti toute la journée lui donnait-il des hallucinations ? Etait-ce vraiment Tess qui dormait là ?

Mille pensées envahirent son esprit tandis qu'il gardait les yeux rivés sur la petite silhouette pelotonnée devant lui. Le chagrin et l'espoir emplissaient alternativement son cœur. Puis l'anxiété se mêla à la colère. Etait-elle venue simplement s'excuser ? Ce serait bien dans sa manière ! Il se sentait déchiré. Dieu, comme il l'aimait !

Il avala péniblement sa salive, luttant contre le désir de la prendre dans ses bras et de la couvrir de baisers. Non ! Elle l'avait déjà trop fait souffrir. Pourquoi était-elle venue ? Comprendrait-elle jamais le mal qu'elle lui avait fait et quelle avait été sa souffrance lorsque, à neuf heures, ce matin, il avait frappé à sa porte sans obtenir de réponse ? Elle n'avait même pas eu la décence de lui laisser un mot pour lui expliquer son absence.

Il s'approcha de la dormeuse. Le sommeil la rendait encore plus séduisante. L'œil exercé de Shep nota quelques détails : la fatigue inscrite sur le visage aux yeux cernés, les longs cils épais, la peau couleur de pêche, les cheveux dénoués et la douceur des lèvres entrouvertes qui invitaient au baiser.

Il se pencha, tendit la main vers elle, hésita. Un imperceptible tremblement courut le long de son bras et son geste se transforma en une caresse contre sa joue. Muet, subjugué, il l'observa pendant qu'elle émergeait lentement du sommeil avec des mouvements de chaton effarouché.

Doucement, il posa la main sur son épaule.
— Tess ?

Les longs cils palpitèrent puis découvrirent la profondeur des grands yeux bleus. Pour la première fois, Shep songea qu'ils lui rappelaient l'azur où il aimait tant se perdre. Il se sentit happé par ce regard de saphir, incapable de contrôler les émotions qui jaillissaient du plus profond de son cœur blessé. Lentement, elle reprit conscience. Il vit l'épuisement qui marquait ses traits et se sentit coupable de l'avoir réveillée.

— Shep, s'écria-t-elle. Enfin !

Au lieu de se pencher vers cette magicienne ensorcelante et de baiser ses lèvres comme il en mourait d'envie, Shep se força à s'éloigner. Mains dans les poches, il alla vers la table. Tess se redressa. Il fit volte-face et la dévisagea.

— Vous êtes un peu en retard, dit-il d'un ton froid et dur. Nous avions rendez-vous à neuf heures ce matin.

— Shep, je vous en prie, ne soyez pas fâché. Je vais...

— Que faites-vous exactement ici ?

Tess sursauta. L'hostilité de sa voix était comme une lame qui lui entaillait le cœur.

— Je... je... bégaya-t-elle.

— Quelle excuse allez-vous inventer cette fois-ci ? Vous vous imaginez peut-être que j'ignore pourquoi vous avez eu peur de me voir aujourd'hui ?

Elle se crispa et baissa la tête. Un lourd silence s'abattit sur eux. Serrant les lèvres, elle murmura :

— Je savais bien que cela devait arriver !

— Oui, et c'est votre faute, répondit-il furieux. Mais vous allez comprendre une fois pour toutes que j'en ai assez. La coupe est pleine. Vous m'avez profondément déçu, ce matin, non parce que vous avez manqué notre rendez-vous mais parce que vous n'avez même pas pensé à me laisser un mot d'explication ou à me donner un coup de téléphone. Je ne m'attendais pas à cela de votre part. Evidemment, ajouta-t-il avec un sourire glacial, je m'étais fait de vous une haute idée... je vous avais mise sur un piédestal ! C'est dangereux !

Tess leva les yeux et rencontra son regard chargé d'une colère froide.

— Allez-vous me laisser...

Il leva la main, pointa un index vengeur dans sa direction.

— Restez où vous êtes. Je n'ai pas terminé et vous allez m'écouter jusqu'au bout. J'ai eu le temps de réfléchir, aujourd'hui... beaucoup de temps... J'ai pensé à vous, Tess, à moi... à nous. Il y a en vous tant de choses dont j'ai besoin !

Il s'interrompit, l'expression douloureuse.

— Peut-être que je vous ai bousculée... Pourtant j'ai été patient... Je ne sais pas. Je ne demande pas grand-chose : le droit de vous connaître un peu mieux. Mais vous vous dérobez continuellement. Cependant vous n'êtes pas insensible à ma présence... Cela se lit dans vos yeux et s'entend dans votre voix... Je l'ai senti chaque fois que je vous ai embrassée.

Les larmes inondèrent les yeux de Tess. Elle se leva, incertaine de ce qu'elle devait faire ou dire pour réparer tout ce gâchis. Elle écarta les bras en un geste de paix et de supplication.

— Pour l'amour du ciel, Shep, laissez-moi m'expliquer.

Il lui jeta un regard dur, s'éloignant au fur et à mesure qu'elle s'approchait.

— Il est un peu tard pour cela !

Tess serra les poings.

— Ainsi vous me condamnez sans m'entendre ! cria-t-elle. Bravo ! Quelle justice !

— Vous vous êtes condamnée vous-même par votre comportement puéril, rétorqua-t-il.

Une fureur la saisit et, se précipitant sur lui, elle le gifla. Etonnée de son propre geste, elle demeura pétrifiée. Jamais de sa vie elle n'avait frappé qui que ce soit. Les larmes ruisselèrent le long de ses joues.

— Ah! fit Shep en la saisissant par un bras, quel beau tempérament d'Irlandaise batailleuse vous avez !

Tess se débattit.

— Lâchez-moi.

— Assez !

Il l'attira fortement contre lui et la maintint d'une poigne de fer.

Perdant son contrôle, elle se mit à hurler.

— Cela vous est égal, hein, de connaître la vérité ! Vous vous en moquez éperdument !

— Ah vraiment ? Vous allez voir comme je m'en moque... Je vais vous montrer...

La bouche de Shep s'empara de la sienne si fiévreusement qu'elle en eut le souffle coupé. Insistantes, mouvantes, brûlantes, ses lèvres obligèrent la jeune femme à se calmer et à répondre à son ardeur. Un brasier s'alluma en elle. Il relâcha peu à peu son étreinte et, les mains posées sur ses hanches, la serra possessivement contre lui. Un sourd gémissement de désir lui échappa tandis qu'elle lui rendait son baiser. Elle s'abandonna complètement contre le corps puissant de l'officier, reconnaissant qu'il avait voulu la faire souffrir parce qu'elle l'avait cruellement blessé, bien involontairement. Son besoin de vengeance s'était soudain transformé en désir d'aimer. Elle se pelotonna contre lui, cherchant à lui faire comprendre combien il lui était cher.

Il releva la tête et la considéra un moment.

126

— Si vous saviez comme j'ai envie de vous, Tess !

Elle le dévisagea en silence, et leurs yeux se comprirent. Sans un mot, il la souleva et la porta sur le lit. Lorsqu'il l'y posa, elle murmura :

— Shep... je n'ai pas voulu vous faire de mal... Je vous en prie, laissez-moi vous dire...

Il se pencha, mit deux doigts sur ses lèvres.

— Chut... pas maintenant... plus tard...

Elle le regarda tendrement et son cœur se gonfla d'émotions inconnues tandis que, avec une délicatesse extrême et des gestes précis, il la déshabillait lentement. La robe abricot tomba sur le tapis puis le jupon de dentelle. D'un doigt léger il parcourut les formes de ses seins prisonniers du soutien-gorge qu'il dégrafa. Toute violence l'avait abandonné. Nue sous son regard aimant, elle ne ressentait aucune gêne et l'attira amoureusement à elle.

— Dieu que vous êtes belle ! chuchota-t-il contre son oreille.

Elle ferma les yeux, pressa son corps contre le sien. Il posa les lèvres sur ses seins et ce baiser la fit frissonner de délice. Un soupir de plaisir lui échappa et, inconsciemment, elle se cambra pour mieux épouser la forme de son corps.

Le temps s'effilochait en un flux de sensations merveilleusement nouvelles. Le contact du corps chaleureux et musclé de Shep réveillait en elle des désirs insondables qu'elle brûlait d'assouvir. Lentement, elle passa les doigts dans la toison épaisse de sa poitrine et rencontra son regard ardent. Il posa alors sur ses lèvres un baiser si passionné qu'elle en fut toute perdue. Il perçut son émoi et la rassura tendrement par de petits baisers sur ses yeux, son nez, sa bouche, conscient tout à coup qu'elle n'était encore qu'une enfant.

Il s'allongea contre elle et caressa ses longues jambes fuselées, l'enlaça amoureusement. Son souffle était chaud et doux contre sa nuque.

Il se sentait totalement ensorcelé par le pouvoir de séduction de cette jeune fée.

Avec une grande délicatesse, il se fondit en elle. Emportée par le rythme de plus en plus rapide de leurs corps enlacés, elle flotta bientôt dans un vertige qu'elle n'avait jamais connu, jusqu'aux sommets du plaisir dont elle rêvait depuis si longtemps.

Le temps n'existait plus. Seule comptait pour Tess cette merveilleuse sensation de renaître, de revivre enfin.

Il faisait encore noir quand la jeune femme émergea lentement d'un sommeil réparateur. Inconsciemment, elle chercha refuge contre l'épaule de Shep, humant l'odeur musquée de son corps.

Le réveil sonna. Elle battit des paupières : l'aube venait à peine de poindre ; une lumière grise filtrait à travers les rideaux tirés. Ouvrant les yeux, son cœur bondit de joie en voyant le visage souriant de Shep tendrement penché sur elle. D'une main, elle lui caressa la joue. Ses cheveux ébouriffés lui donnaient un air jeune et vulnérable. Elle se perdit dans le regard chatoyant de ses yeux gris où se lisait tout l'amour qu'il éprouvait pour elle.

— Vous êtes encore plus belle qu'hier soir, si c'est possible, murmura-t-il. Je n'ai pas envie de vous quitter déjà ! Mais il faut que je sois sur le terrain à huit heures précises après avoir reçu les consignes de vol qui me seront données une heure plus tôt.

Elle le regarda sortir du lit et se diriger vers la salle de bains.

— Mais nous avons à parler, Shep... Vous ne m'avez pas laissée m'expliquer hier soir...

Une fugitive expression de douleur envahit ses traits.

— Ecoutez, dit-il, posant une main sur son épaule avant d'aller plus loin, savez-vous que nous sommes lundi ? Il est six heures du matin. Vous devriez appeler votre bureau tout à l'heure et demander un jour de congé. Si vous vous sentez vraiment responsable de nous deux, restez ici et attendez-moi. Je n'en ai guère pour plus de deux heures. Nous pourrons alors bavarder tant que vous voudrez.

Les yeux de Tess s'agrandirent de surprise.

— Lundi ! Ce n'est pas possible.

— Mais si ! Ne vous souvenez-vous pas ? Hier c'était dimanche. Aujourd'hui donc est, hélas, un jour ouvrable.

Un tourbillon de pensées assaillit Tess. Son cœur avait fait son choix : elle voulait rester. Mais Dan était absent toute la semaine, elle devait donc le remplacer à la tête du service. Avalant difficilement sa salive, elle regarda Shep et murmura :

— Je ne peux pas.

Aussitôt, le visage du capitaine se ferma.

— Le devoir vous appelle, n'est-ce pas ?

Le cœur battant, Tess se redressa sur les oreillers.

— Vous ne comprenez pas... Je...

— Non, en effet !

Voilà que tout recommençait à aller de travers. Pourquoi leur était-il si difficile de communiquer ? Pourquoi portait-il toujours des jugements si rapides ?

— Je ne peux pas plus me dégager de mes responsabilités que vous, Shep ! Le devoir, comme vous dites, nous appelle tous les deux.

Il hocha la tête.

— Bien, bien. Un point pour vous, Tess. Je vais prendre ma douche.

Chagrinée, elle resta là, assise, à écouter couler l'eau. Evidemment son raisonnement logique lui avait cloué le bec mais en était-elle satisfaite ? Le devoir ! Pourquoi cette notion venait-elle toujours entraver la réalisation de sa vie privée ? Elle avait envie de rester... La chaleur rassurante du corps de Shep avait soulagé sa peine et cicatrisé ses blessures. Il l'avait aimée si totalement qu'elle en était encore bouleversée. Jamais elle ne s'était sentie si libre, si heureuse dans les bras de Jerry. Anxieusement, elle attendit le retour de Shep.

Les cheveux brillants et bien lustrés, le visage fraîchement rasé, il reparut vêtu de son costume de travail vert olive sur lequel était cousu un petit carré de cuir noir portant son nom et son grade.

— A votre tour, dit-il, désignant la porte de la salle de bains.

Tess ne bougea pas.

— Je crois que j'ai un compromis à vous proposer.

— Voyons toujours.

Elle humecta ses lèvres, priant tous les saints du paradis de l'aider à bien choisir ses mots.

— Je vous propose de vous accompagner à Edwards et de téléphoner à mon bureau pour dire que je viendrai cet après-midi seulement. Ainsi nous pourrons déjeuner ensemble après votre vol.

Une lueur de joie brilla dans les yeux de Shep.

— Formidable.

— Vu les circonstances, je ne peux pas faire mieux.

— C'est plus qu'assez, ma chérie. Allez vite

130

vous préparer. Vous avez tout juste une demi-heure.

Il lui baisa tendrement les lèvres.

Un ruban de nuages roses flottait sur les montagnes lointaines, répandant une lueur ocrée sur le sable du désert. Assise en silence dans la voiture de Shep, Tess était subjuguée par la beauté aride du paysage. Bientôt apparurent les lourds hangars de la base d'Edwards et la tour de contrôle dont la masse imposante paraissait insolite en ces lieux.

— Il faut que j'appelle Rockwell à huit heures, dit-elle.

— Oui. Je demanderai à Tom de vous montrer où sont les cabines téléphoniques.

— Merci.

Comme elle se sentait bien près de lui ! Elle était encore toute chaude de leurs étreintes passionnées et, chaque fois qu'il posait sur elle ses grands yeux tendres, elle fondait littéralement ! Jamais personne ne lui avait inspiré autant de confiance.

— Je vous dois des excuses, murmura-t-elle, faisant allusion à la gifle de la veille.

Il lui jeta un coup d'œil amusé.

— Pas du tout ! Vous recommencez à vivre, enfin !

— Je n'avais pas l'intention de... frapper... Jamais cela ne m'était arrivé !

— J'ai eu envie de vous corriger, répondit-il en riant. Ah ! Je comprends maintenant pourquoi vous avez les cheveux roux !

— Ce n'est pas drôle ! Je suis sûre que je vous ai fait mal.

Il éclata de rire.

— Vous avez blessé mon amour-propre plus que mon visage ! J'avais vu venir le coup mais j'étais persuadé que vous n'oseriez pas aller jusqu'au bout. Vous voyez comme on peut se tromper ! J'ai alors pensé que si vous étiez de taille à gifler un homme, vous étiez également capable de faire face aux conséquences de vos actes.

— Heureusement que vous n'avez pas riposté !

— Jamais je ne frapperai une femme, Tess.

— Ce n'est pas ce que je voulais dire. Mais vous m'aviez vraiment mise hors de moi en m'accusant de m'être dérobée. Vous ne m'avez pas permis de placer un mot d'explication.

Il lui prit la main et la serra affectueusement.

— Mettez-vous à ma place, Tess. J'avais passé ma journée à tourner et retourner dans ma tête les raisons possibles de votre défection et voilà qu'en rentrant chez moi, je vous trouve dans mon lit ! Je ne savais plus quoi penser !

— Alors, dit-elle d'une voix douce, si vous m'aviez écoutée, vous auriez appris que j'avais été appelée d'urgence à Rockwell à sept heures du matin. Dans mon affolement, je n'ai pas pensé à vous laisser un mot sur ma porte.

Avec calme et précision, elle lui expliqua ce qu'avait été cette folle journée, son désespoir de ne pouvoir le joindre au téléphone et comment elle avait finalement appelé Tom.

— Nous étions si inquiets pour vous !

Il resta un moment silencieux puis se tourna vers elle, les yeux humides.

— Oh ! Tess, je vous demande pardon. Si vous saviez ce que vous représentez pour moi ! J'ai été malheureux comme les pierres toute cette journée, et si désemparé ! Comprenez-vous ?

— Oui, Shep, je comprends, répondit-elle, le cœur plein d'allégresse.

Chapitre 11

Tess n'avait jamais pénétré dans le bâtiment opérationnel de la base d'Edwards qui comprenait, en dehors de la tour de contrôle, une salle de briefing, un centre de prévisions météorologiques, des bureaux et une cafétéria.

Un sac de grosse toile, renfermant un masque à oxygène et un casque, enroulé autour d'une épaule, Shep conduisit Tess dans le hall d'entrée. Tom les y accueillit.

— Je vois que tu as fini par rentrer hier soir, fit ce dernier.

Les deux amis échangèrent un sourire.

— Je me demande si je dois te serrer la main ou t'injurier, répondit Shep.

Tom le regarda, l'œil malicieux.

— Tôt ou tard, tu me remercieras, vieux !

— Tess va rester ici pendant mon service. Tu veux bien lui tenir compagnie et lui montrer où se trouve le téléphone ?

— Avec plaisir. Va chercher ton plan de vol et ne t'inquiète de rien.

Se tournant vers Tess, il ajouta :

— Vous allez voir comment les pilotes d'essai gardent leur forme !

Avant de s'éloigner, Shep posa un baiser sur les lèvres de la jeune femme.

133

— Cela va vous ennuyer à mourir de me regarder faire l'acrobate là-haut !

— Rien de ce qui vous concerne ne m'ennuie.

Il l'enveloppa d'un regard reconnaissant et tendre.

— Dis donc, Tom, fit-il, pourquoi ne l'emmènerais-tu pas tout à l'heure à la tour de contrôle écouter les transmissions ?

— Excellente idée.

— Je dois d'abord faire une heure de vol à haute altitude. Profitez-en pour aller prendre quelque chose à la cafétéria. A plus tard.

Il agita la main et s'éloigna vers la salle de briefing. Tom entraîna Tess dans la direction opposée.

— Alors, demanda-t-il, comment cela s'est-il passé ?

— Pas facilement ! murmura-t-elle, heureuse de pouvoir se confier à quelqu'un. Je me suis endormie et ne l'ai pas entendu rentrer. Je ne sais pas lequel de nous a été le plus bouleversé...

— En tout cas, Shep et vous semblez nager dans le bonheur, ce matin.

Ils franchirent les portes de verre qui menaient à la cafétéria. De l'autre côté des baies vitrées le soleil pointait à l'horizon, créant de vastes zones d'ombre et de lumière sur le terrain d'aviation où dormaient encore des avions de toutes tailles, alignés comme de grands oiseaux silencieux. Autour d'eux s'agitaient les équipes d'entretien. Tess les regarda, bras croisés, subjuguée.

— Il a cru que j'avais manqué le rendez-vous parce que je cherchais à le fuir, fit-elle, l'air rêveur.

— Et alors ?

— Il s'est mis en colère !

— Il se calme très vite, heureusement. Je suis

content que vous ayez pu l'accompagner aujour-
d'hui.

— Ce matin seulement. Je dois téléphoner à
Rockwell que je viendrai vers quatorze heures.

— C'est déjà bien, fit Tom avec une moue.

Bientôt ils aperçurent Shep et un membre
d'équipage se diriger vers un T-38. Le désignant
du doigt, Tom expliqua :

— On utilise ces avions pour les vols d'entraînement supersoniques. D'habitude, l'instructeur
se met sur le siège arrière et l'élève à l'avant.

— Shep va voler seul ? Je croyais qu'il y avait
automatiquement un copilote, en cas d'incident.

— Non, non. Mais ne vous inquiétez pas. Nous
volons tous en solitaires sur les T-38. C'est un
appareil très facile à manier. En l'occurrence, il
ne s'agit que d'un vol de routine. Qu'est-ce que
vous direz si jamais c'est lui qui est choisi pour
piloter le premier B-1 ?

— Je serai bonne pour l'asile ! fit-elle en riant.

Immédiatement, la peur l'envahit à l'idée de
cette possible mission. Elle se rongea nerveusement les ongles. Là-bas, Shep bouclait déjà sa
ceinture. On enleva l'échelle et les moteurs vrombirent. Lentement l'appareil commença à pivoter
sur lui-même comme un grand oiseau cherchant
la direction du vent. Il gagna la piste d'envol.

— Si on sortait pour le voir décoller ?
demanda Tess d'une voix excitée.

— Bien sûr... d'autant plus que, comme il sait
que vous le regardez, il va sûrement donner les
gaz à plein !

Le soleil était déjà chaud dans l'air léger du
matin. Tess adorait la pureté du vent du désert.
Debout sur la terrasse aux côtés de Tom, elle vit
le bel avion blanc scintiller sous les rayons dorés,
s'arrêter en bout de piste puis, après avoir reçu

l'autorisation de décoller, s'élancer d'un bond prodigieux vers l'azur. Tom se mit à rire.

— Voyez-moi cela ! Il se prend pour un casca-deur, ma parole !

En quelques secondes, l'appareil fut hors de vue.

— Impressionnant, non ? demanda Tom.

— Très. Vous en faites autant ?

— Si ma bien-aimée regardait, certainement ! Venez maintenant, rentrons prendre un café.

Tess fut surprise de voir le nombre de gens déjà installés dans la cafétéria à cette heure matinale. Tom trouva une table près de la fenêtre. Au moment de s'asseoir, elle balaya la salle du regard et rencontra une silhouette connue. Elle devint blême. Son cœur se mit à battre à coups précipités et ses mains se glacèrent.

— Tess ! Qu'est-ce qu'il y a ? Vous vous sentez mal ?

Incapable de répondre, les yeux toujours fixés sur l'homme qui la dévisageait, elle porta la main à son front...

— Tess ! Mon Dieu ! Vous êtes blanche comme un linge !

— Barton est là, fit-elle les dents serrées.

— Barton ? Il ne manque pas de toupet ! Où est-il ?

La réaction véhémente du major frappa Tess. Que se serait-il passé si Shep avait été présent ?

Serrant sa serviette sur ses genoux, elle murmura :

— N'y pensons plus.

Elle ferma les yeux, cherchant à calmer son affolement. Qu'allait-il encore inventer, cet odieux personnage, en la voyant assise aux côtés de Tom ? Quels mensonges répandrait-il sur leur compte ? C'était affreux !

Elle repoussa son assiette d'un air dégoûté.

Tom s'était retourné, essayant de repérer l'homme à la langue de vipère.

— Je le vois, dit-il, les traits soudain durcis. Mais ne vous inquiétez pas, il ne peut plus vous faire de mal.

— Il m'en a déjà assez fait ! C'est lui qui a tué Jerry avec ses sales mensonges ! Oh ! Mon Dieu, je ne peux pas rester ici.

— Vous avez autant le droit que lui d'être assise à cette table, Tess, fit Tom d'un ton sévère. Ne me dites pas que vous êtes prête à fuir devant lui !

Tess sursauta.

— Non, non, pour rien au monde.

Sa propre voix lui parut méconnaissable.

Voyons, se dit-elle, soyons adulte. La situation est désagréable, il faut l'affronter. D'un geste automatique, elle prit un toast et se mit à étaler de la confiture dessus.

— Voilà qui est bien, nota Tom. De toute façon vous savez très bien que tôt ou tard, Barton paiera pour son acte odieux. Si Shep avait été là...

— Je lui en veux terriblement, à ce monstre ! Oh ! Tom ! J'ai la gorge nouée !

— Allons, Tess. Finissons notre petit déjeuner et retournons au bâtiment opérationnel. Nous devrions y être dans dix minutes.

— Dieu sait ce qu'il va aller raconter maintenant.

— Sans doute que nous avons une liaison !

Tess fronça les sourcils.

— J'espère qu'il ne va pas vous causer des ennuis !

— Des ennuis ? Je connais au moins une vingtaine d'officiers qui seraient verts de jalousie s'ils apprenaient que vous sortez avec moi ! Etre vu en compagnie d'une jolie femme n'a rien de dégradant, vous savez.

Elle rougit du compliment.

— Shep et moi avons beaucoup de chance de vous avoir pour ami.

— Tout l'honneur est pour moi. Venez maintenant. Allons téléphoner à votre bureau puis admirer les prouesses de Shep.

Il se leva et mit sa casquette.

— Surtout ne vous inquiétez pas de Barton, ajouta-t-il. Nous avons mieux à faire, il ne nous gâchera pas notre journée.

Tess fut soulagée de quitter la cafétéria. Après avoir donné son coup de téléphone, elle gagna le bâtiment opérationnel aux côtés de Tom. Arrivé à la tour de contrôle, le major expliqua la situation au chef et celui-ci leur donna deux casques d'écoute.

— Il est déjà dans la zone d'atterrissage, dit Tom. Mettez les écouteurs sur vos oreilles et vous l'entendrez parler avec le contrôleur. Son indicatif est « Faucon-six ».

Dès qu'elle eut coiffé le casque, elle entendit l'étrange jargon des pilotes. Sept avions au moins se trouvaient dans la zone d'atterrissage d'Edwards.

— Quel est celui de Shep ? demanda Tess.

Tom écouta attentivement les conversations en cours puis hocha la tête comme pour confirmer son hypothèse. Il pointa le doigt vers le ciel.

— C'est le deuxième T-38 blanc, là-bas. Vous le voyez ?

— J'appelle Edwards. Ici Faucon-six. Virage sous le vent, fit la voix de Shep dans les écouteurs.

— C'est lui, là, qui tourne, fit Tom.

Tess hocha la tête, le cœur empli d'une inexplicable joie. La dernière demi-heure d'angoisse qu'elle venait de vivre disparut instantanément devant l'étrange beauté du T-38 zébrant le ciel au-dessus du désert. Il ressemblait à une gracieuse ballerine virevoltant légèrement dans sa robe étincelante. Bientôt, il survola la piste en parfaite ligne droite et se posa fièrement sur le sol, faisant jaillir un tourbillon de sable.

— Il va le maintenir quelques secondes immobile avant de redonner les gaz à plein pour repartir, expliqua Tom. Dommage que vous ne puissiez être à ses côtés. C'est une sensation merveilleuse.

A l'intérieur du cockpit, Shep tenait fermement le levier de commande. La vibration des freins faisait imperceptiblement trembler l'appareil. D'un œil expérimenté, il surveillait le tableau de bord et ses innombrables cadrans.

Pleins gaz, il tira le levier de commande. Le soleil tapait dur sur la vitre du cockpit et l'aveuglait malgré la visière teintée qu'il portait. L'avant de l'appareil se redressa et à nouveau fonça vers le ciel. Juste à ce moment, un vol d'oiseaux traversa la trajectoire de l'avion. Il y eut un choc violent. Le T-38 vibra, un trait de feu sillonna le ciel. Des milliers d'heures d'entraînement avaient appris à Shep à réagir presque automatiquement. Il baissa les gaz et ramena le levier. L'aiguille de la jauge restait dangereusement immobile, indiquant que l'un des moteurs avait brûlé. Un oiseau avait-il heurté la soupape ? Machinalement, il fit les gestes nécessaires pour remettre l'appareil en position stable et permettre au moteur intact de pallier l'absence de l'autre.

— Ici Faucon-six. J'appelle Edwards. Etat d'urgence. Un moteur en panne. Atterrissage manuel obligatoire, déclara Shep d'une voix calme.

— Faucon-six. Message reçu. Dégageons la piste.

Tandis qu'il manœuvrait le levier d'atterrissage, sa pensée s'échappa vers la terre. Tess était là, en bas. Se rendait-elle compte de l'incident ?

En fait, elle était terrorisée. Mains sur la bouche pour ne pas hurler, les yeux agrandis par l'effroi, elle restait immobile, frappée de stupeur. Tom la saisit par les épaules.

— Il va s'en tirer. Ce n'est pas grave.

Tous deux avaient vu l'appareil piquer du nez et se redresser brutalement à quelques mètres du sol.

Sur le terrain, les secours s'organisaient rapidement. Tous les appareils posés sur l'aire d'atterrissage s'éloignaient dans toutes les directions comme des oiseaux dérangés dans leur sommeil.

Tess sentait ses genoux se dérober sous elle.

Shep, criait-elle intérieurement, mon amour, ne meurs pas, ne meurs pas !

Les souvenirs de la mort de Jerry resurgissaient avec précision. Maintenant elle était amoureuse de Shep. Allait-il s'écraser sous ses yeux ? Un sanglot lui échappa et elle se cacha le visage dans les mains. Tom l'entoura d'un bras vigoureux.

— Ne vous en faites pas, Tess. Il va se poser sans problème. Ce n'est pas la première fois qu'il affronte un incident de ce genre.

Malgré le ton confiant du major, elle restait angoissée. Le visage séduisant de Shep dansait devant ses yeux. Elle entendait son rire, se rappelait leur nuit d'amour... Elle ne voulait pas le perdre.

— Faucon-six appelle Edwards. Vitesse réduite.

— Edwards appelle Faucon-six. Piste dégagée, vent calme, visibilité parfaite.

Tess écoutait chaque mot. La voix de Shep était si calme! Elle regarda Tom.

— Il n'a même pas l'air inquiet!

— C'est un pilote d'essai, Tess. Il est entraîné à réagir avec sang-froid en présence du danger.

— Mais il doit quand même avoir peur, murmura-t-elle, observant le jet blanc qui perdait de l'altitude.

Tom haussa les épaules. Il ne voulait pas lui laisser voir à quel point lui aussi était anxieux. Normalement, Shep aurait dû essayer de faire repartir le moteur. Quelque chose de grave était arrivé pour qu'il l'ait coupé complètement. Tom s'efforçait de voir s'il n'y avait pas une traînée noire derrière l'appareil. Si le feu s'y était mis, mieux valait ne pas songer aux conséquences.

— Faucon-six appelle Edwards. Approche finale amorcée.

— Edwards appelle Faucon-six. Tout est en place pour atterrissage d'urgence.

Poings serrés contre sa poitrine, Tess retint son souffle. Le jet décrivit un dernier virage et se plaça parallèlement à la piste comme un énorme oiseau de proie planant avant de se poser. Soudain l'appareil toucha le sol, dans un bruit assourdissant. Aussitôt les camions-citernes se mirent en route le long de la piste.

Tess hurla :

— Sauvé!

Tom hocha la tête, ému et impatient.

— Venez vite. Descendons. Ils vont garer l'avion assez loin à cause des risques d'incendie.

Shep coupa le moteur et l'appareil s'immobilisa. Il ôta son casque. Ses cheveux trempés de sueur lui collaient au crâne. Dès que l'échelle fut fixée au côté de l'avion il descendit et rejoignit les trois hommes d'équipage qui examinaient déjà le moteur. L'un d'eux leva la tête.

— Vous m'avez tout l'air d'avoir avalé un gros oiseau !

— Cela ne m'étonnerait pas. Il y en avait une quantité incroyable dans mon couloir de vol.

— D'après la pliure des hélices, il a sans doute été aspiré. On en saura davantage après l'examen complet.

— Tenez-moi informé, sergent.

— Bien sûr. Et bravo pour l'atterrissage. Beau travail !

Shep sourit.

— Je n'avais guère le choix. Rejoignez-moi dès que vous en aurez terminé. Je vais faire mon rapport.

L'homme hocha la tête et retourna à son travail. Shep se dirigea vers le bâtiment et aperçut Tess et Tom en bas du grand escalier. Une foule de curieux s'était agglutinée à l'entrée, mais il les ignora, uniquement préoccupé de Tess. Il ouvrit les bras et elle s'y précipita. Il la serra tendrement contre lui.

— Oh ! Shep, murmura-t-elle la tête contre son épaule, comment vous sentez-vous ?

— Très bien, ma chérie ! C'est un accident routinier.

Elle avait eu si peur, la pauvre enfant, il fallait bien la calmer ! Il se pencha et l'embrassa longuement, s'enivrant de la docilité de ses lèvres sous les siennes. Quelques minutes plus tôt, il était seul dans le ciel avec un avion estropié et maintenant il tenait dans ses bras la plus merveilleuse des femmes. Il la relâcha avec un sourire rassurant.

— J'espère que vous ne vous imaginez pas que j'ai provoqué cet incident pour me donner en spectacle ! dit-il en riant.

— Il n'aurait plus manqué que cela ! Oh !

142

Shep, je suis si heureuse, dit-elle en s'accrochant à son bras.

— Et moi donc ! Allons, venez avec moi. J'ai une montagne de papiers à remplir. Ensuite, on ira déjeuner. Je meurs de faim.

Tom les rejoignit.

— Qu'est-ce que tu as fait ? Avalé un oiseau ?

— Je crois.

— Pourquoi n'as-tu pas essayé de remettre le moteur en marche ?

— J'aurais bien voulu, mais la température de la jauge ne faisait que monter.

Pendant que les deux amis échangeaient ces propos, Tess aperçut Derek Barton qui regardait leur groupe, un méchant sourire aux lèvres. Elle se raidit. Aussitôt Shep s'en aperçut et demanda :

— Que se passe-t-il ?

— Rien, répondit-elle, cachant son émotion. J'ai simplement été très secouée.

— Qu'est-ce que ce sera si c'est moi qui effectue le premier vol du B-1 ! fit-il d'un air taquin.

— Je deviendrai folle, tout bonnement, comme je l'ai dit tout à l'heure à Tom.

Shep feignit l'étonnement.

— Comment ? Vous n'avez pas confiance dans l'avion que vous construisez ?

— Oh ! Il volera, tout le monde le sait. Cela ne m'empêchera pas de me faire du mauvais sang pour vous.

— Ces paroles me vont droit au cœur, fit-il avec un sourire très doux.

Tess s'assit dans un fauteuil pendant que Shep et l'officier de contrôle consignaient l'incident du T-38. Elle avait du mal à comprendre comment ils pouvaient parler avec un tel détachement d'un événement qui aurait pu coûter la vie au capitaine. Tom resta un moment avec eux puis s'excusa : il avait un rendez-vous pour le déjeuner.

Tess regarda sa montre : onze heures trente. Elle était obligée de s'en aller si elle voulait être à quatorze heures au bureau. Comment Shep réagirait-il à son départ ?

Il s'approcha d'elle et s'excusa :

— Désolé de vous avoir fait attendre, Tess. Venez, on va déjeuner.

Il lui tendit la main.

— Shep, il faut que je retourne à Los Angeles.

Il ne répondit rien et lui prit le bras. Ils gagnèrent la porte d'entrée et de là rejoignirent le parking réservé.

— Il faut que je vous reconduise chez Tom pour reprendre votre voiture.

Tess le regarda. Etait-il déçu ? En tout cas, il n'en laissait rien voir.

— Oui, répondit-elle calmement.

La distance qui les séparait du domicile de Tom était très courte. Il l'accompagna jusqu'à sa Toyota. Elle ouvrit la portière et se retourna vers lui.

— Je suis navrée de devoir partir, Shep.

Il haussa les épaules.

— Vous n'y êtes pour rien, si je n'avais pas eu ce contretemps, il y a longtemps que nous aurions fini de déjeuner, alors, ne vous inquiétez pas. Me donnerez-vous une seconde chance ?

— Bien sûr, dit-elle.

— Dînons ensemble vendredi soir, voulez-vous ? Il y a une réunion des pilotes d'essai à Rockwell ce jour-là.

— C'est parfait.

— Vraiment ?

— Oui, vraiment.

144

il posa un baiser sur ses lèvres.

— Heureusement que nous sommes dans la rue, dit-il, sinon je vous aurais prise dans mes bras. Allez, à vendredi, ma princesse. Faites attention à vous sur la route. Un accident par jour suffit largement !

— Vous aussi, Shep, prenez garde à vous... pour l'amour de moi !

— Puisque vous le demandez, je vous le promets. N'exagérez pas trop l'importance de ce qui est arrivé aujourd'hui. C'est courant, vous savez.

Elle lui fit une petite moue amicale et claqua la portière. Peu lui importait que ce soit chose habituelle, elle ne s'y ferait jamais. Sur le chemin du retour, elle réalisa qu'elle travaillait depuis plus d'un an sur les plans du B-1 sans avoir jamais mis en doute ses capacités de vol. Mais maintenant que son cœur était engagé avec un des futurs pilotes de l'appareil, son optique changeait complètement. Qu'arriverait-il si le B-1 était défectueux ? Si le prototype s'écrasait dans une gerbe de flammes comme elle l'avait entendu raconter pour d'autres avions ?

Elle frissonna. Bien sûr, Shep était bon pilote, il l'avait encore prouvé aujourd'hui. Avait-il des chances d'être choisi par les autorités de l'Air Force pour prendre le premier les commandes du nouveau bombardier ? Si elle avait eu son mot à dire, il n'en aurait pas été question. Il fallait qu'elle s'informe de ses titres de vol pour savoir si ce redoutable honneur risquait de lui échoir.

Pour la première fois, les plans du bombardier cessaient d'être pour elle de simples figures sur une feuille de papier. L'homme qu'elle aimait se trouvait personnellement impliqué dans les essais.

Son destin allait-il reprendre deux fois le même chemin? Perdrait-elle Shep comme elle avait perdu Jerry?

Un frisson d'appréhension la parcourut. Non! Elle ne capitulerait pas... son bonheur en dépendait.

Chapitre 12

Le vendredi suivant, un groupe important d'ingénieurs, de fournisseurs, traitants ou sous-traitants, se trouvait réuni dans la salle de conférences de Rockwell, attendant l'ouverture des
débats. Un contingent d'officiers de l'Air Force
participait également à cette rencontre.

Shep jeta un regard à Tom et murmura :

— Si tout se passe comme d'habitude, j'ai
largement le temps d'aller dire bonjour à Tess
avant le début des discussions. Je reviens tout de
suite.

— Ne t'absente pas plus d'un quart d'heure
tout de même. J'ai l'impression que les gens sont
impatients de se mettre au travail.

Au moment de franchir la porte, Shep se heurta
à un groupe de trois hommes qui entraient. L'un
d'eux le fixa et le cœur de Shep se glaça en
reconnaissant le visage sombre de Derek Barton.
Il lutta contre une farouche envie de lui envoyer
son poing dans la figure... mais le moment aurait
été mal choisi. Il s'éloigna donc et gagna l'ascen-
seur.

Tess leva la tête lorsqu'il pénétra dans son
bureau. Une rougeur se répandit sur ses traits,
donnant à ses joues un éclat plus vif qu'à l'accou-
tumée. Il lui avait semblé que ce vendredi n'arri-

verait jamais ! Elle avait eu tout loisir de réfléchir aux dangers que couraient Shep et ses craintes de le perdre avaient décuplé.

— Vous êtes superbe, ma princesse !

Pour la première fois depuis qu'elle était à Rockwell, elle avait laissé ses cheveux flotter librement sur ses épaules. Plus d'un homme, lorsqu'elle avait traversé le hall d'entrée et parcouru les couloirs qui menaient à son bureau, s'était arrêté, surpris et admiratif. Elle l'avait remarqué.

— Merci ! dit-elle avec un sourire.

Elle pensa qu'elle aurait pu lui retourner le compliment car il était incroyablement séduisant. L'uniforme bleu lui allait à ravir et ses yeux brillaient en la regardant.

— Au moins, vous n'avez pas l'air choqué par ma coiffure.

— Ma chère, je suis en état de choc... au sens propre. Je ne le montre pas, voilà tout !

Il avait envie de la prendre dans ses bras, de baiser ses lèvres, de l'aimer.

— Ah ! soupira-t-il, que vienne la nuit !

Tess baissa les yeux, intimidée mais heureuse de le voir si passionnément amoureux.

— Vous avez apporté des vêtements civils, j'espère, pour tout à l'heure ?

— Oui, oui, ne vous inquiétez pas... je n'oublie rien ! Allez, à plus tard. Il faut que je me rende à la réunion, maintenant. Elle promet d'être longue et ennuyeuse.

— Je vous souhaite bien du plaisir !

— Merci beaucoup !

Elle le regarda, l'air taquin.

— C'est bien votre tour. J'en ai eu quatre cette semaine. Cela me suffit amplement.

Le cœur plein de bonheur, elle le regarda quitter la pièce aussi calmement qu'il y était entré. Il avait une démarche de fauve dont la souplesse et l'aisance cachaient la force. Elle eut du mal à se remettre au travail, ses pensées s'envolant constamment vers lui. Heureusement, Dan devait rentrer de bonne heure cet après-midi. Elle pourrait donc quitter le bureau un peu plus tôt que d'habitude.

Derek Barton observait Shep Ramsey qui s'avançait vers la table de conférence. La secrétaire venait de déposer un épais dossier devant chacun des participants. Il pianotait nerveusement sur la couverture, attendant avec impatience l'annonce des noms des pilotes choisis pour accomplir le premier vol du B-1.

Il en voulait terriblement à Ramsey. L'affaire des malfaçons des pièces livrées par sa compagnie, jointe à la vigilance perpétuelle de Tess Hamilton, lui coûtait très cher. Cette dernière cherchait sûrement à se venger des révélations qu'il avait faites à son mari. Aussi était-il décidé à faire tout son possible pour qu'on la mette à la porte de Rockwell. Cette petite peste empoisonnait sa vie autant que le capitaine.

Charlie Starling, le président de Rockwell, se leva et gagna l'extrémité de la longue table. Il posa son dossier sur un lutrin placé devant lui.

— Messieurs, fit-il d'une voix bien timbrée, notre ordre du jour est très chargé. Mais commençons par ce que nous brûlons de connaître : les noms des pilotes sélectionnés pour le premier vol du B-1.

Il sortit un feuillet de sa poche, le déplia et ajusta ses lunettes.

— Bon... voilà : le pilote retenu est Dave Faulkner, le copilote : Shep Ramsey, l'ingénieur : Peter Vosper. Bravo à tous les trois.

Les applaudissements crépitèrent tandis que

les trois élus faisaient de petits signes de remerciement de la main.

— Vous allez donc être responsables de tous les tests préliminaires à ce premier vol. Ensuite, nous chargerons le major Tom Cunningham, le colonel Jim Munkasey et Taylor Holmes des épreuves suivantes.

Barton s'agita sur sa chaise. Ce sacré Ramsey ! Encore lui !

Barton se massa douloureusement les tempes, sentant venir la migraine. Un méchant sourire apparut sur ses lèvres... un plan machiavélique venait de germer dans son cerveau. Il se leva.

— Excusez-moi, Charlie, dit-il.

— Oui, Derek ? répliqua ce dernier, surpris d'être interrompu.

— Je me posais simplement une petite question toute bête : quels sont les critères de votre choix ?

— Nous nous sommes fondés sur les performances antérieures des pilotes et sur leur expérience. Ainsi, Dave a plus de deux mille heures de vol à son actif sur des B-52.

— Donc, c'est le temps passé aux commandes d'un de ces appareils qui emporte votre décision.

— A Rockwell oui, en effet.

Les yeux de Barton brillèrent d'un éclat sauvage. Se tournant vers le colonel Preston, il demanda innocemment :

— Combien d'heures de vol aux commandes d'un bombardier totalise le capitaine Ramsey ?

— Plus de mille.

Derek feignit la surprise.

— Seulement ?

Preston haussa les épaules.

— Les qualités hors pair du capitaine Ramsey et son expérience le désignent tout naturellement

150

pour le poste auquel nous l'avons nommé, monsieur Barton.

— Il n'a pourtant que la moitié du temps de vol du major Faulkner, répondit-il insidieusement.

Coudes sur la table, les yeux fixés sur son adversaire, Shep se pencha lentement vers lui.

— Prétendez-vous que je sois moins compétent que les autres pilotes, monsieur Barton ? demanda-t-il d'une voix suave.

— Du tout, du tout, capitaine ! Je suis seulement curieux de connaître les raisons qui vous ont fait choisir.

Se tournant vers Starling il ajouta, l'air narquois :

— Ce serait vraiment dommage que la presse s'empare de ce genre d'information, ne croyez-vous pas, monsieur le président ? Cela pourrait nuire à l'image de marque de l'Air Force. Imaginez qu'on ait des ennuis avec le B-1 en cours de vol. Nous savons tous que le public américain saute vite aux conclusions. Surtout lorsqu'il s'agit d'un programme aussi coûteux ! Quant à la presse, elle poserait certainement beaucoup de questions sur la sélection des pilotes... Personne ici n'a intérêt à faire mauvaise figure devant les médias.

Shep contenait difficilement sa colère. Il savait exactement où Barton voulait en venir.

— Dites-moi, Barton, fit-il, quelle somme votre compagnie serait-elle prête à perdre si le projet était annulé ?

— Soixante-dix millions de dollars. Ce n'est pas beaucoup si l'on considère que le prix de chaque bombardier est de soixante et un millions de dollars !

Shep hocha la tête, se forçant à sourire poliment.

— Corrigez-moi si ma mémoire me trompe, monsieur Barton, mais n'est-ce pas votre compagnie qui a eu de sérieux problèmes avec l'Air Force à cause de bielles défectueuses que vous aviez montées sur un de nos bombardiers et que j'avais été amené à tester au cours d'un vol d'essai ? C'est exact, n'est-ce pas ?

Barton rougit jusqu'à la racine des cheveux.

— Cette affaire est hors du sujet, bégaya-t-il.

— Pas du tout, Barton ! Si vous mettez en question le nombre de mes heures de vol, je ne vois pas pourquoi je n'aurais pas le droit de m'interroger sur la qualité des pièces que vous fabriquez. De plus, permettez-moi de vous dire que je suis curieux de connaître les raisons qui vous font réagir si violemment à l'idée que j'ai été choisi pour ce vol d'essai. Je vous rappelle que la dernière fois que j'ai pris les commandes d'un bombardier équipé par vos soins, j'ai failli le payer de ma vie, mais que j'ai tout de même ramené l'appareil à bon port.

Une houle secouait la salle. Charlie Starling ne savait pas très bien ce qu'il devait faire. Finalement, le colonel Preston prit la parole.

— Monsieur Barton, sachez que ce que ne montre pas le nombre d'heures de vol d'un pilote, c'est la qualité de l'expérience qu'il a acquise au cours de ses diverses affectations. En ce qui concerne le capitaine Ramsey, il a servi au Sud-Viêt-nam et a plusieurs fois ramené des appareils atteints par des missiles. Il s'est tiré de nombreuses situations critiques avec une habileté extrême.

— Peut-être, mais nous ne sommes plus en guerre ! Il n'y a plus de missiles, plus d'avions accidentés, colonel ! Sans vouloir offenser le capitaine Ramsey, j'affirme ne pas croire que ses médailles de guerre feront le poids devant le public américain.

Jetant un regard autour de la table, il se rendit compte, en voyant tous ces visages hostiles, qu'il s'était mis dans une situation dangereuse. Mais sa haine du capitaine jointe à celle qu'il éprouvait pour Tess Hamilton le poussait à continuer.

— J'essaie simplement d'envisager tous les aspects du problème sans perdre de vue que Rockwell a été plutôt malmené par les médias dernièrement. Cette pauvre Mme Hamilton a parlé bien inconsidérément à la presse et nous en avons tous pâti !

Tom Cunningham jeta un regard inquiet à Shep. Il voyait la colère monter en lui et craignait des conséquences fâcheuses. Se tournant vers Barton, il dit, les dents serrées :

— Occupez-vous donc de vos bielles ! Que vous importe la nomination des pilotes ?

— C'est que je suis un membre responsable du projet, répondit-il avec un sourire mielleux. En tant que fournisseur, j'ai autant le droit que n'importe qui de m'exprimer ici. Après tout, ma société vivra ou mourra selon les décisions que prendra le Congrès au sujet du B-1.

N'y tenant plus, Fred Berger, directeur des relations publiques, prit la parole.

— Franchement, monsieur Barton, je trouve que vos insinuations concernant Mme Hamilton sont incorrectes et déplacées. Elle a accompli un travail digne de tous les éloges et ce n'est pas sa faute si la presse n'a publié que la moitié des renseignements qu'elle avait donnés. J'ajoute que, si elle ne m'avait pas secondé très fermement dans ma tâche, nous aurions sur les bras une autre affaire : celle de la prétendue pollution de l'environnement par le B-1. Elle a merveilleusement répondu aux questions des reporters pendant tout le week-end dernier, vous pouvez me croire.

Shep jouait nerveusement avec son crayon. L'envie de frapper Barton le torturait.

— En ce qui me concerne, reprit le colonel Preston, j'approuve entièrement la sélection faite par les autorités de l'Air Force et j'affirme que le capitaine Ramsey est...

— Messieurs, interrompit Charlie Starling avec autorité, je crains que nous ayons perdu beaucoup de temps sur un sujet qui n'est pas à l'ordre du jour. Quant à vous, monsieur Barton, si vous souhaitez poursuivre ce débat, puis-je vous suggérer de le faire pendant la suspension de séance prévue à l'heure du déjeuner ? Ou si vous préférez, demandez la réunion d'une autre assemblée pour traiter de cette question.

Lorsque intervint la pause café, Shep fonça vers Barton et le coinça près de la porte alors qu'il cherchait à s'échapper.

— Je vous conseille, dit-il d'une voix péremptoire, de veiller avec soin à ce que les pièces détachées que vous nous livrerez pour le B-1 soient conformes au devis descriptif, cette fois. Sinon, je vous promets que ça ira mal pour vous !

— J'y veillerai, comme d'habitude.

— Vraiment ? Comme vous l'avez fait pour le dernier bombardier ?

Barton le regarda, furieux.

— Oh ! Ecoutez, cela suffit ! Notre laboratoire a commis une petite erreur, il n'y a pas de quoi en faire un drame.

— Une petite erreur ! Vous appelez cela une petite erreur ! Elle a failli me coûter la vie, votre petite erreur !

Lorsque Charlie annonça la reprise de la séance, Shep regagna sa place, la rage au cœur. Barton avait tenté de salir son nom et, pire encore, celui de Tess. Il serra les poings si fort que ses jointures blanchirent.

Vers seize heures, le meeting se termina enfin. Le contingent de l'Air Force fut le dernier à quitter la salle.

Lorsqu'ils furent seuls, le colonel Preston se tourna vers Shep et demanda :

— Qu'est-ce qui le démange, ce Barton ?

— Oh ! Pas mal de choses... Certaines sont personnelles.

— Ah ? fit Preston, l'œil interrogateur.

— Il sait que je le surveille depuis l'accident du B-52 et il m'en veut. Mais il me le paiera cher !

Il gagna rapidement la plate-forme où se trouvaient les ascenseurs et se trouva nez à nez avec Barton qui attendait la cabine. Il s'immobilisa, toisa le petit homme d'un regard aiguisé comme une lame de couteau.

— Savez-vous, dit-il sèchement en lui faisant face, que c'est peut-être le destin qui se tient devant vous ?

Barton recula d'un pas, conscient de la colère froide et trop longtemps contenue de l'officier.

— Je ne crois pas au destin, fit-il d'un ton rogue.

Shep posa son attaché-case, se redressa et marcha sur Barton.

— Eh bien moi, si, figurez-vous, dit-il d'une voix basse. Comprenez bien ceci, Barton : vous ne parviendrez pas à vos fins parce que j'aurai l'œil sur vous nuit et jour.

Les narines de Barton frémirent.

— Je ne sais absolument pas de quoi vous parlez.

— Non ? Comme c'est étrange ! Alors il me faut vous donner une explication : je n'ai pas l'intention de risquer encore une fois ma vie à cause de votre malhonnêteté, Barton. Quant à vos efforts

155

pour salir mon nom, c'est peine perdue, ils n'ont donné aucun résultat !

— Salir ? Oh ! Capitaine, vous exagérez !

Serrant les poings, Shep s'approcha de lui. Pris de peur, l'hypocrite partit à reculons et tenta de lui échapper en entrant dans un bureau vide dont la porte était ouverte.

— Je me moque de ce que vous essayez de faire contre moi, cria Shep le poursuivant. Mais je ne vous laisserai pas toucher à Tess Hamilton. Vous avez raconté partout que nous avions une liaison, ce qui était un mensonge dégoûtant. Jerry en est mort. Vous le saviez, je pense.

Les yeux de Derek s'agrandirent de frayeur. Il recula encore. Acculé au mur, il laissa tomber sa sacoche et se pencha pour la ramasser mais l'officier le saisit par le revers de son veston, l'obligeant brutalement à se redresser.

— Répondez-moi. Vous le saviez ?

Barton poussa un cri.

— Je ne comprends pas ce que vous voulez dire.

— Vous mentez, aboya Shep.

— Lâchez-moi tout de suite, hurla Barton, fou de colère.

— On me donne des ordres maintenant ?

Shep le regarda avec mépris.

— Les gens de votre espèce n'osent pas parler en face, n'est-ce pas ? Vous vous sentez tout petit, hein ? Vous savez répandre des calomnies et rien d'autre ! Quelle misère !

Il resserra sa prise, amenant le visage de Barton à quelques centimètres du sien.

— Si je vous entends une seule fois dire quoi que ce soit sur Tess Hamilton, soyez sûr que je...

Brusquement Barton leva les deux bras, se libérant de la poigne de l'officier. Haletant, il courut se réfugier de l'autre côté du bureau où il se tassa comme derrière un rempart. Se sentant un peu plus en sécurité, il fit le bravache.

— Ah! ah! Vous ne me faites pas peur, capitaine Ramsey, noble héros de la guerre du Viêtnam! Vos médailles de guerre ne m'impressionnent pas. Je vous aurai tôt ou tard, vous et cette petite prétentieuse qui vous fait les yeux doux! Je vous ferai rayer de la liste des pilotes choisis pour le vol d'essai du B-1, je le jure et, elle, je m'arrangerai pour qu'on la jette à la porte de Rockwell.

Shep lâcha un juron, sauta par-dessus le bureau, attrapa Barton par sa veste et le traîna brutalement jusqu'au milieu de la pièce. D'un coup de poing, il l'envoya rouler par terre. Ce geste qu'il contenait depuis trop longtemps le libéra et il se sentit inondé d'une joie sauvage. Barton poussa un cri et porta la main à sa bouche d'où coulait un filet de sang. Avant qu'il ait pu appeler au secours, Shep le releva et le colla contre le mur.

— Ne prononcez jamais le nom de Tess Hamilton avec votre bouche de crapaud, vous entendez?

Il serra si fort le col de la chemise du petit homme que son visage devint cramoisi. Il se débattit pour retrouver un peu d'oxygène.

— Vous m'entendez? hurla-t-il à son oreille.

Derek criait comme un porc qu'on égorge. Dégoûté, Shep lâcha prise, le laissant s'écrouler par terre comme un sac vide.

Barton leva la tête et le fixa de ses yeux larmoyants:

— Je porterai plainte contre vous, bredouilla-t-il.

— Essayez et vous verrez! Vous avez tué un homme avec vos mensonges et vous avez blessé une femme sans autre raison que votre méchanceté foncière. S'il vous échappe une seule insulte contre elle, je vous jure que vous le regretterez terriblement.

— La cour de justice pourrait s'intéresser à vos menaces.

— Vous n'avez pas de témoins, répondit Shep froidement. Ce sera donc votre parole contre la mienne. Après le petit exposé politico-sentimental que vous avez fait ce matin, je n'aurai aucun mal à établir que vous m'en voulez personnellement. Alors, allez-y, Barton! Mais ne mêlez pas Tess à toutes vos manigances. Vous avez compris?

Barton hocha la tête sans lever les yeux. Shep gagna lentement la porte et la claqua derrière lui.

Lorsqu'il pénétra dans le bureau de Tess, elle remarqua immédiatement ses traits altérés et le désordre de sa tenue.

— Qu'est-ce qu'il y a? demanda-t-elle inquiète.

— Etes-vous prête? Allons-nous-en, fit-il, ignorant sa question.

Mais le regard de Tess tomba sur sa main où saignait une écorchure. Il avait dû se cogner sans s'en rendre compte... à moins que Barton ne l'ait mordu!

— Il est arrivé quelque chose? insista-t-elle.

— Une petite bagarre avec Barton, répondit-il négligemment.

L'anxiété de Tess ne fit que s'accroître.

— Votre main est blessée. Qu'avez-vous fait?

— Je l'ai frappé.

— Oh! Mon Dieu!

— Ne vous inquiétez pas. Voilà longtemps que j'attendais ce moment. Cela m'a fait du bien.

Tess restait immobile à le dévisager. Elle se disait que, si pareil incident s'était produit six mois plus tôt, elle n'aurait pas pu le supporter. Décidément, la petite fille qui se cachait derrière

Jerry comme derrière un bouclier protecteur avait définitivement disparu.

— Je vous emmène à la maison, dit-elle. Un peu d'antiseptique sur ce bobo ne fera pas de mal.

— Surtout qu'il est venimeux ! Il faudrait peut-être que je me fasse vacciner contre la rage !

Ignorant cette tentative d'humour, Tess prit son sac et éteignit la lumière de son bureau.

— Vous allez me raconter ce qui s'est passé sur le chemin du retour.

— Seulement si vous me promettez de dîner avec moi.

— Promis. Mais cela ne vous ennuierait pas trop qu'on mange à la maison ? Je n'ai pas envie de sortir. J'ai eu une journée terrible.

Chapitre 13

Shep était assis sur le tabouret de la cuisine, devant Tess qui désinfectait son égratignure. Il se laissait faire avec volupté... le contact de ses doigts était si doux ! Elle se pencha pour vérifier le pansement qu'elle venait de terminer. Il respira son parfum et lui passa tendrement la main dans les cheveux, rejetant les mèches rebelles qui lui barraient le front.

— Je devrais jouer les infirmières plus souvent, dit-elle en riant.

— Pourquoi ? Vous attendez une récompense ? demanda-t-il en l'attirant dans ses bras.

Détendue et confiante, elle posa la tête sur son épaule, heureuse d'être enfermée dans le cercle protecteur de ses bras.

— Le fait que vous soyez là est déjà une récompense.

— Vrai ?

— Oui.

— J'ai de bonnes nouvelles à vous annoncer. Vous les connaissez peut-être déjà ?

— Non ! Dites-les-moi, fit-elle en se pressant contre lui.

— Eh là, doucement ! Vous allez m'étouffer !

Soudain le reste du monde n'existait plus pour Tess. Shep était là ! Il lui avait si désespérément

160

manqué tout au long de cette dure semaine ! Elle savourait le bonheur d'être auprès de lui et ne demandait rien d'autre.

— Quelles sont ces bonnes nouvelles ? demanda-t-elle enfin, poussée par la curiosité.

— J'ai été choisi pour être copilote du premier vol d'essai du B-1.

Tess eut l'impression qu'une chape de plomb tombait sur ses épaules. Elle resta anéantie.

— Ma chérie ?

— Euh... oui... C'est merveilleux, murmura-t-elle, incapable de feindre le moindre enthousiasme.

En la voyant pâlir, Shep comprit qu'elle avait peur comme l'autre jour lors de son atterrissage en catastrophe.

— Qu'est-ce qui vous inquiète, ma chérie ?

Elle ne répondit pas et, pour se donner une contenance, alla remettre la pommade antiseptique dans l'armoire à pharmacie de la salle de bains. Elle avait la gorge nouée. Le miroir lui renvoya l'image d'une Tess décomposée. Luttant contre les larmes, elle revint au salon où Shep était assis, l'air plus détendu que jamais. Il avait ôté sa veste et ouvert le col de sa chemise bleu ciel.

— Je... euh... pour être honnête...

S'attendait-il à une explosion de joie de sa part ? Elle savait ce qu'une telle distinction représentait pour lui mais l'appréhension qu'elle éprouvait était la plus forte : l'homme qu'elle aimait allait prendre les commandes du B-1 !

Shep la tint dans ses bras en silence, un long moment. Puis il demanda d'une voix douce :

— Pourquoi ces craintes, ma chérie ? Vous n'avez donc pas confiance en mes capacités ?

— Bien sûr que si ! Non, ce n'est rien... juste

mon imagination... Je crois que l'accident de lundi dernier m'a rendue nerveuse.

Il rit doucement et posa un baiser sur ses cheveux soyeux.

— Dans ce cas, j'accepte que vous vous fassiez du souci. C'est une preuve d'amour. Mais je vous assure que je serai très prudent. Après tout, maintenant, j'ai une raison de vouloir revenir sain et sauf ! Allez, venez. Je vais vous aider à préparer le repas. Savez-vous que je fais d'excellentes salades quand je veux ? ·

— D'accord, dit-elle en se levant. Je vais m'occuper des steaks.

— Pourquoi n'allez-vous pas d'abord vous changer ? Mettez-vous donc à l'aise.

— Et vous ?

— Moi, ou bien je reste comme je suis, ou je me mets dans la tenue d'Adam. Que préférez-vous ?

Elle réussit à esquisser un sourire.

— Vous pourriez tacher votre uniforme à la cuisine !

— Je me sens très confortable comme cela.

Il déboutonna son col et releva ses manches sur ses avant-bras musclés, puis il se dirigea vers la cuisine, vaste, claire et pleine de plantes grimpantes.

Quelques instants plus tard, en jean et chemisier rose, elle le rejoignit. Il hachait méthodiquement des légumes rangés en petits tas réguliers devant lui. Elle admira l'habileté avec laquelle il maniait le couteau.

— Vous avez manqué votre vocation, ma parole !

Il releva la tête.

— Ah ?

— Vous jouez du couteau avec une telle dextérité ! J'ai envie de rester là à vous regarder faire !

— Pourquoi pas ? Je vous donne une soirée de

congé! Mais allez quand même me verser un verre de vin et prenez-en un aussi. Vous boirez pendant que je termine les préparatifs.

Ses grands yeux gris regardaient amoureusement les formes de son joli corps étroitement moulé dans ses vêtements.

— Excellente idée, dit-elle.

Elle alla chercher deux verres de cristal et une bouteille de rosé et les apporta à la cuisine.

— Vous savez faire cuire les steaks?

— Bien sûr. Me faites-vous confiance, oui ou non?

Elle tendit la bouteille à Shep pour qu'il l'ouvre. Leurs mains se touchèrent. Encore une fois, aucun d'eux ne résista au courant électrique qui les secouait à chaque contact. Il l'attira à lui, baisa ses lèvres consentantes. Ils avaient tant besoin l'un de l'autre!

— Vous embrasser est le meilleur des desserts, ma princesse, dit-il lorsqu'il relâcha son étreinte.

Elle rougit et but quelques gorgées de rosé.

— On ne commence pas un repas par le dessert! dit-elle en riant... Dépêchez-vous, mon estomac crie famine!

— Voilà une déclaration qui n'est guère romantique pour une princesse irlandaise!

— Parce que vous prétendez, capitaine Ramsey, être un incurable romantique?

— Eh oui! C'est de naissance, ne le saviez-vous pas?

— Voilà pourquoi les Américains considèrent tous les pilotes comme des héros du xixe siècle. Ils flirtent éternellement avec le danger, qui plus est! Alors, quelle femme leur résisterait et ne souhaiterait voir un tel surhomme lui tomber dans les bras?

— J'aimerais mieux le contraire : une femme héroïque et tendre à la fois dans les miens.

163

— Dans ce cas, vous vous trompez de personne !

— Sûrement pas. Regardez donc ce que vous avez réalisé depuis la mort de Jerry ! Vous avez réussi à garder votre poste d'assistante envers et contre tout et vous avez prouvé que vous avez en vous l'étoffe d'un chef. Ce n'est pas héroïque, cela ? Vous avez beaucoup mûri, poursuivit-il avec admiration. Vous êtes devenue une femme merveilleuse. Je suis fier de vous, Tess, fier de la façon dont vous vous conduisez malgré le souvenir pénible qui pèse sur vous. Il vous a fallu beaucoup de courage.

— Pourtant, je ne me sens guère d'une grande bravoure.

— Vous savez bien que nous non plus ne nous considérons pas comme des héros. Nous faisons notre travail, c'est tout, comme vous faites le vôtre, et très bien, je tiens à le souligner.

Les steaks étaient grillés, la salade prête. Ils s'installèrent devant la petite table. Tess décida que le moment était venu de parler de l'incident Barton.

— Que s'est-il passé entre Derek et vous ? demanda-t-elle calmement.

Shep fit la grimace.

— Il a mis en doute mes qualités de pilote et il vous a attaquée. Je me moque éperdument qu'il m'insulte mais je ne peux pas supporter qu'il dise du mal de vous, surtout quand vous n'êtes pas là pour vous défendre. Alors, il a bien fallu que je réponde. D'ailleurs, Fred Berger en avait fait autant avant moi.

— Fred ?

— Oui. Il a plaidé votre cause avec ardeur. Beaucoup de gens commencent à se ranger de votre côté, vous savez ?

— Vous croyez ? demanda-t-elle avec un sourire. Mais dites-moi, vous vous êtes battus ! Pas dans la salle de conférences, j'espère !

— Non, heureusement, j'ai pu me contenir jusqu'à la fin de la réunion. Je n'avais pas envie de perdre ma nomination de premier pilote du B-1 !

— Ne craignez-vous pas qu'il essaie de se venger ?

— Il essaiera peut-être, mais il n'a pas de témoins, il ne pourra rien prouver. D'ailleurs je me suis contenté de lui ébranler quelques dents et de lui fendre la lèvre. Dommage que je ne lui aie pas brisé la mâchoire. Il aurait été obligé de se taire pendant quelque temps !

Elle hocha la tête.

— Comment cela s'est-il terminé ?

Avec un haussement d'épaules, il se leva et se mit à débarrasser la table.

— Peu importe, le résultat est le même : nous avons un ennemi sur les bras. Il sait que nous allons le surveiller de très près. Comment sont les dernières pièces détachées qu'il nous a livrées ? Fiables ?

— Les normes de sécurité ont été fixées par nos ingénieurs très au-dessus du seuil de tolérance minimal. Donc, on n'a rien à craindre de ce côté-là. Mais Barton essaie toujours de tricher et il le fera encore si nous relâchons notre surveillance.

— Il n'a aucun sens de l'honneur.

Tess prépara un dessert délicieux : des crêpes aux fraises qu'ils dégustèrent assis tous les deux sur le sofa, leur assiette sur les genoux et une tasse de café brûlant sur la table en verre devant eux. Ils se sentaient en parfaite harmonie, calmes et détendus.

— Nous avons encore des choses à nous dire, fit Shep.

Tess se pelotonna contre lui. C'était si bon de se sentir protégée ! Elle ne s'était pas encore remise de la solitude qu'elle éprouvait depuis la mort de Jerry. Elle poussa un soupir.

Se penchant vers elle, Shep la regarda.

— Je vous dois des excuses, commença-t-il.

— Pourquoi ?

— Nous n'avons pas encore eu le temps de parler de ce qui s'est passé à Lancaster l'autre nuit. Quelque chose d'important nous est arrivé.

— Oui, dit-elle, le cœur battant, beaucoup de choses se sont produites ces derniers jours.

— En effet. Mais d'abord, j'aurais dû vous laisser vous expliquer. Quand je vous ai trouvée chez moi, j'étais tellement noyé dans mon chagrin que vous voir m'a donné un choc...

— Je sais... je n'avais pas d'autre possibilité...

Il la serra contre lui.

— Je m'en rends compte maintenant, ma chérie, et je regrette la scène que je vous ai faite. J'étais si bouleversé...

Elle posa un baiser sur son menton.

— Bouleversé, furieux et perplexe, oui ! Mais je ne pouvais pas ne pas venir. J'étais folle d'anxiété à l'idée que personne n'avait pu vous joindre. Je me sentais comme prise au piège par des circonstances qui me dépassaient. Je déteste perdre le contrôle de la situation.

— Je suis comme vous !

Son regard se fit tendre.

— Mais c'est d'autre chose que je voulais vous parler, quelque chose de plus important encore dont il faut que nous prenions conscience.

— Je sais, Shep, murmura-t-elle... Je n'étais pas prête... avant... j'avais tant de problèmes !

— Je le comprends, dit-il, prenant possession de ses lèvres entrouvertes et l'amenant patiemment à lui répondre avec ardeur.

166

Doucement, il se détacha d'elle, le cœur battant. Il vit son regard s'obscurcir et l'inquiétude se peindre sur son visage.

— De quoi avez-vous peur ?

— Vous allez me croire idiote...

— Voyons un peu...

— Non... Vous vous moquerez de moi !

— Jamais je ne me permettrai de rire de ce qui peut vous blesser. Allons, dites-moi.

Elle prit une profonde inspiration et se pressa encore plus fort contre lui.

— Je m'inquiète à cause... de ce vol d'essai du B-1...

— Mais voyons, Tess, vous savez mieux que personne que cet avion est merveilleusement conçu ! De toute façon, si par hasard quelque chose clochait, je saurais y remédier.

— Quelle assurance ! Typique d'un pilote d'essai !

— Elle est fondée sur mon expérience. Il y a trois ans maintenant que je fais ce métier et j'en ai vu de toutes les couleurs. Je m'en suis toujours tiré.

— Votre plaisir, c'est de voler, n'est-ce pas ?

— C'est toute ma vie, ma chérie.

Il s'aperçut que ce qu'il venait de dire n'était plus tout à fait exact, maintenant, car il aimait Tess autant que sa profession et même davantage. Il voulut le lui dire, hésita, ne sachant pas si le moment était bien choisi. Avec elle, il n'était sûr de rien.

— C'est pour cela que vous êtes entré à l'Air Force ?

Il hocha la tête.

— Mais vous ne serez pas éternellement pilote d'essai. Un jour, vous aurez une autre affectation.

— Sans doute, fit-il avec une moue, mais cela me contrarie. Je quitterai peut-être l'Air Force à ce moment et rejoindrai une compagnie aéronautique quelconque comme pilote d'essai civil.

Tess le regarda avec angoisse.

— Vous pourriez être tout aussi utile dans un bureau, Shep! Ainsi, vous n'auriez pas besoin de quitter l'Air Force et de renoncer par là même à tous les avantages acquis.

Il lui jeta un regard étrange.

— Ma chérie, je vous ai déjà dit que jamais je ne renoncerai à voler. C'est comme si je vous demandais de renoncer à votre carrière.

— Eh bien, fit-elle, le cœur serré en s'éloignant de quelques pas, si je pensais que ma carrière pût porter préjudice à... d'autres aspects de ma vie privée... j'y renoncerais.

Shep se leva d'un bond et la saisit par un bras.

— Qu'êtes-vous en train de me dire? Je ne vois pas où vous voulez en venir, Tess. Personne ne vous demande de renoncer à votre carrière... en tout cas, pas moi! Qu'est-ce que tout cela signifie?

Elle le regarda, troublée. En sa présence, elle perdait ses moyens et ne trouvait pas les mots pour s'expliquer. Comment lui faire comprendre qu'elle voulait plus qu'une liaison? Pourquoi ne lui avait-il pas proposé un lien plus solide? Et pourquoi se sentait-elle blessée qu'il ne comprenne pas le fond de sa pensée? Etait-il donc si difficile de communiquer?

— Il est tard, s'entendit-elle murmurer. Je suis épuisée. Merci, Shep, pour ce merveilleux dîner.

Surpris, l'officier resta planté au milieu de la pièce, scrutant son visage. Il y avait tant de chagrin dans sa voix qu'un sentiment d'impuissance l'envahit.

— Oui... en effet... il est tard...

Il reboutonna sa chemise, endossa son veston

et remit sa casquette sans mot dire. Avant d'ouvrir la porte, il articula à voix très basse :

— Nous avons eu tous les deux une journée bien éprouvante. Je vous appellerai pendant le week-end.

— Si vous voulez.

Il se pencha, posa un baiser sur ses lèvres inertes, affreusement déçu par la brusque volte-face de la jeune femme.

— Oui, murmura-t-il en s'en allant, je le veux... terriblement.

Chapitre 14

Tess était arrivée à Palmdale avec Dan Williams. Au fur et à mesure qu'approchait l'heure de la cérémonie de présentation du B-1 au public, elle devenait de plus en plus nerveuse.

L'angoisse la tenaillait depuis sa dernière conversation avec Shep. Elle ne l'avait pas revu. Il avait bien téléphoné comme promis pendant le dernier week-end, mais ils n'avaient pas pris rendez-vous. Dan lui avait plusieurs fois demandé au cours de la semaine ce qui n'allait pas. Elle avait répondu évasivement et s'était forcée à travailler jusqu'à l'épuisement afin de n'avoir plus à penser.

Sur le terrain, une foule immense attendait la sortie du bombardier. Marchant à côté de Dan, elle essayait de contrôler le douloureux battement de son cœur. Elle allait voir Shep et redoutait cette rencontre. Son esprit lui dictait d'être calme mais son cœur souffrait mille morts.

Elle vit le contingent de l'Air Force groupé au loin et chercha anxieusement, parmi tous ces visages, celui de l'homme qu'elle aimait. Plusieurs officiers circulaient à l'extérieur du périmètre des opérations, visiblement mal à l'aise au milieu de tout ce bruit. Au moment où elle posait le pied sur l'estrade réservée aux officiels, une main saisit son bras. Elle se retourna.

Shep lui souriait, d'un sourire un peu froid.

— Venez avec moi, dit-il simplement.

Il l'entraîna loin de la foule. Un frisson la parcourut lorsqu'il ouvrit une porte menant au hangar principal. Il la referma sur eux et la regarda.

Le silence régnait. Le B-1 était là, immobile pour l'instant, brillant de toute sa splendeur. Ne sachant que dire, elle fit un geste vers l'avion.

— Comme il est beau !

— Oui !

Mais leurs paroles sonnaient creux.

Shep la prit par les épaules et plongea son regard dans le sien.

— Pourquoi m'avez-vous évité toute cette semaine ?

Elle ouvrit la bouche, la referma, puis murmura, désemparée :

— Euh... je...

— Dès que la cérémonie sera terminée, je veux vous parler, Tess. Il faut que nous nous expliquions, même si cela doit nous prendre une journée entière. Je ne sais pas ce qui nous est arrivé l'autre jour... J'ai l'impression qu'un fossé s'est creusé entre nous et je ne comprends pas pourquoi.

— J'essaierai de vous expliquer.

Il l'observa longuement.

— Voyez-vous, je me suis cassé la tête vingt-quatre heures sur vingt-quatre à essayer de saisir vos réactions. J'ignore ce que j'ai pu faire ou dire pour vous amener à agir envers moi avec tant de froideur. Nous avons vécu tant de choses ensemble !

Il fouillait son regard, cherchant à y lire ses pensées.

— Venez, chuchota-t-il.

Il la prit dans ses bras et la serra contre lui, très fort. A son tour elle l'entoura tendrement, rejetant la tête en arrière pour lui offrir ses lèvres. Le baiser qu'il y posa la laissa sans souffle. La bouche de Shep, si ferme et pourtant si douce, força la sienne à s'entrouvrir et tous deux s'embrassèrent passionnément.

Quand enfin il la relâcha, il lui prit doucement la main.

— Allons, il faut qu'on aille rejoindre les autres. Tout à l'heure, vous me retrouverez ici.

Elle hocha la tête en silence et s'appuya de tout son poids contre lui. Comme elle l'aimait ! Mais lui n'avait toujours rien dit de définitif quant à leur vie commune. Pourquoi ?

Serrant nerveusement son sac, elle le suivit dehors. Le soleil brillait de tous ses feux.

Le B-1 avança lentement sur la piste. Avec une majestueuse aisance, il pivota sur lui-même, comme une danseuse soucieuse de la beauté de ses attitudes. Le public applaudit et les speakers s'emparèrent des micros.

Tess remarqua distraitement que Diane Browning était présente avec plusieurs de ses collaborateurs. Bien entendu, aucune trace de Stockwell qui se serait bien gardé de paraître dans une telle cérémonie. Une centaine de reporters se préparaient à interviewer les personnalités après leurs discours ainsi que les pilotes du bombardier.

Tess ne pouvait détacher les yeux de la silhouette de Shep qui, avec deux autres hauts responsables de Rockwell, était déjà sous le feu des projecteurs de la télévision. Tous trois forçaient l'admiration : ils avaient fière allure et leur air décidé en imposait à tous. Après les discours d'usage, les flashes des photographes et les nombreuses questions des journalistes, l'agitation se calma.

Au bout d'un moment, elle vit Shep s'excuser auprès des reporters et venir vers elle. La prenant par la taille, il la conduisit jusqu'au parking où se trouvait sa voiture.

— Il est plus que l'heure de déjeuner, dit-il. Je meurs de faim. Pas vous ?

— Moi aussi !

— Très bien. On va aller manger quelque chose chez moi.

Durant le trajet jusqu'à Lancaster, ils restèrent silencieux.

Arrivé chez lui, Shep demanda à Tess de l'attendre quelques minutes à la cuisine pendant qu'il se changeait. Elle s'assit devant la table et resta là sans bouger, se mordant nerveusement la lèvre inférieure.

Un instant plus tard, Shep revint en jean et chemise beige à manches courtes qui mettait en valeur le bronzage de sa peau et la couleur ambrée de ses cheveux.

— Restez assise, je vous en prie.

Il prit une bouteille de vin dans le réfrigérateur et en versa deux verres.

— Vous avez l'air mal à l'aise, remarqua-t-il.

— Je ne sais pas pourquoi, je me sens tendue comme un arc.

— Sans doute parce que vous savez que nous devons avoir une conversation sérieuse. Mais mangeons d'abord.

Il prépara rapidement une de ces salades dont il avait le secret : crevettes, avocats et petits légumes crus.

— Vous ne m'avez pas paru très enthousiaste en voyant sortir le B-1 tout à l'heure.

— Vraiment ? Qu'est-ce que j'aurais dû faire ? Des cabrioles ?

— Si ma mémoire ne me trompe pas, il me semble que chaque fois qu'on parlait de ce bombardier, vos yeux brillaient, il y a quelque temps. Maintenant, je n'y vois que résignation et tristesse. Pourquoi, Tess ? Les responsabilités dont vous êtes chargée vous ont fait perdre votre entrain ?

— Non... pas exactement...

Elle but une gorgée de vin. C'était son deuxième verre et la tête commençait à lui tourner.

Sentant sa réticence, il changea de sujet.

— Je ne sais pas quel est votre sentiment, Tess, mais en ce qui me concerne, j'ai cru que tout avait commencé — et bien commencé — entre nous la nuit où vous êtes venue ici pour la première fois. J'étais persuadé que vous étiez enfin débarrassée de votre chagrin et de la culpabilité qui vous affligeait depuis notre premier baiser. Pour moi, notre amour était un rêve enfin devenu réalité.

Il lui saisit la main et la serra doucement.

— Dès le premier jour où je vous ai rencontrée, j'ai eu envie de mieux vous connaître. Ce n'est pas un simple désir physique, mais quelque chose de beaucoup plus profond. Je ne suis pas sûr que vous vous soyez rendu compte que j'ai tout de suite vu en vous la femme dont j'avais besoin. J'ai fait tous les sacrifices nécessaires pour vous donner le temps de surmonter vos problèmes et, la semaine dernière, j'étais certain que vous y étiez enfin parvenue... Que s'est-il passé ?

Tess se leva, troublée plus qu'elle n'aurait voulu le reconnaître, par la présence de Shep. Sa voix était un baume pour son cœur douloureux et son âme torturée. Son contact l'électrisait, l'excitait, l'attirait. Mais elle voulait plus encore : elle voulait tout son amour.

S'éloignant de quelques pas, elle fit une soudaine volte-face et le regarda :

— Que voulez-vous de moi, Shep ?

— Vous... tout entière.

— Vous m'avez déjà eue, répliqua-t-elle d'un air de défi.

Il blêmit et se leva.

— Qu'est-ce que cela signifie ?

Elle serra les poings.

— Rien d'autre que la vérité : vous m'avez eue tout entière.

— C'est donc cela que vous avez cru pendant tout ce temps ? Que je voulais simplement abuser de vous juste pour une nuit ?

Elle leva le menton, l'air obstiné.

— Comment savoir ? Je ne comprends rien à vos façons d'agir.

— Oh ! Tess, je vous ai dit cent fois combien je regrettais de m'être laissé aller à vous embrasser sur ce balcon. J'ai essayé de corriger cette erreur en vous donnant tout loisir de vous remettre du choc de la mort de Jerry... Je me suis efforcé de ne pas vous bousculer et...

Tess fondit en larmes.

— Mon Dieu, je ne sais pas jouer à ces jeux... Je ne sais pas ce que vous me voulez. Je me sens si peu sûre de moi... Je ne veux pas d'une liaison... je ne le supporterai pas.

Il s'approcha d'elle et doucement l'obligea à le regarder.

— Tess, dit-il d'une voix tendre, bouleversé de la voir en larmes, je n'ai jamais songé à une chose pareille ! Une liaison ? Est-ce cela que vous imaginiez ?

Elle hocha misérablement la tête, n'ayant

qu'une envie : se jeter dans ses bras et lui redire tout son amour.

Il murmura son nom et la berça contre lui. Elle posa la tête sur son épaule .et l'entoura de ses bras. Elle entendait le battement régulier de son cœur à travers le tissu léger de sa chemise. Peu à peu ses craintes se calmèrent.

— Chérie, je vous aime. J'en ai vraiment pris conscience ce triste dimanche que j'ai passé à tourner en rond dans ma voiture. J'aurais dû vous le dire plus tôt ! Mais je croyais que vous le saviez.

Le cœur de Tess battait la chamade.

— Non... non... je l'ignorais.

— Vous n'aviez pas senti combien j'ai besoin de vous ? Je vous aime depuis toujours.

Elle répondit passionnément à son étreinte et lui tendit les lèvres. Il l'embrassa longuement, attisant en elle un feu ardent. La soulevant alors dans ses bras, il l'emporta dans la chambre.

— Cette fois, dit-il, la voix vibrante de désir, je vais vous montrer à quel point je vous aime.

Il la posa doucement sur le lit et baissa les yeux sur son corps voluptueux. Elle était pleine de l'intense désir de lui appartenir.

Les rayons du soleil inondaient la pièce, la colorant de teintes pastel très gaies. On aurait dit les sous-bois des sierras ! Il s'assit au bord du lit et déboutonna le corsage de sa robe. Chacun de ses gestes l'embrasait... Elle se rappelait la ferveur de leur première nuit d'amour...

La robe tomba à terre et elle s'émerveilla de la passion qu'elle lut dans ses yeux. Elle était nue sous son regard. Il se pencha, elle l'enlaça et l'attira vers elle. Elle glissa la main dans la toison qui couvrait sa poitrine, heureuse de le voir aussi sensible à ses caresses qu'elle-même. Il se débarrassa rapidement de ses vêtements et la serra contre son corps dur et musclé, retenant sa bouche captive pendant un long moment. Puis il la caressa tendrement et posa mille petits baisers sur ses yeux, son nez, sa gorge. Ivre de désir, elle se cambra, anxieuse de s'unir complètement à lui.

— Savez-vous que je vous aime plus que ma vie ? murmura-t-il.

— Moi aussi, mon amour, chuchota-t-elle à son oreille.

Il ferma les yeux, enfouit son visage dans les vagues soyeuses de ses longs cheveux. Le temps glissait sur eux comme la lave d'un volcan le long d'une pente vertigineuse.

Elle sentit les mains de Shep se poser sur ses hanches puis caresser la peau douce de ses cuisses. Les yeux fermés, elle s'offrit à son désir. Un cri de plaisir lui échappa quand il l'enlaça. Lentement, sans brusquerie, il l'amena au rythme régulier de son propre corps, l'enivrant si délicieusement qu'elle atteignit une béatitude inconnue jusqu'alors. En elle se répandait une incroyable sensation de plaisir et elle s'abandonna au tourbillon qui les emportait, enlacés tous les deux, unis dans un même gémissement de bonheur.

Encore tout imprégnée d'amour, Tess ouvrit les yeux. La tête sur la poitrine de Shep, elle entendait le battement régulier de son cœur. Une lueur filtrait sous les rideaux. Avait-elle dormi ? Ou bien le temps s'était-il écoulé sans qu'elle s'en aperçoive ? Elle n'en savait rien. Elle était heureuse, protégée par le rempart des bras de Shep, plus vivante que jamais. Instinctivement, elle sut qu'il dormait. Elle referma les yeux et sourit, apaisée. Elle ne souhaitait rien d'autre que rester là, blottie tout contre l'être qu'elle aimait le plus au monde.

Chapitre 15

Lorsqu'elle se réveilla, elle sentit Shep lui caresser la joue et rencontra son regard plein de tendresse. L'après-midi était déjà avancé et on entendait le chant des oiseaux dans les arbres voisins, mêlé de temps à autre au lointain vrombissement d'un moteur d'avion.

Tess s'étira langoureusement et se serra contre Shep.

— Je vous aime, murmura-t-il, posant un baiser sur son front.

— Que j'aime vous l'entendre dire !

— Il y a longtemps que j'aurais dû vous l'avouer !

Il s'assit dans le lit et l'attira contre sa poitrine.

— C'est que... j'avais peur d'aller trop vite. J'avais l'impression de marcher sur une corde raide, comme un funambule. Si je vous avais confié mes sentiments avant que vous surmontiez les problèmes causés par la mort de Jerry, j'aurais peut-être tout gâché. Mais ma prudence a bien failli tourner à la catastrophe puisque vous avez cru que je ne recherchais qu'une idylle passagère.

Elle hocha la tête.

— Ce n'est pas votre faute, Shep, et d'ailleurs vous avez eu raison d'agir de la sorte. Il y a trois mois seulement, j'aurais probablement pris peur et me serais sauvée.

Il sourit et la serra sur son cœur.

— Nous ne laisserons jamais plus rien nous séparer, n'est-ce pas, ma chérie ?

Ces mots la remplirent de crainte. L'incident du T-38 était encore tout frais dans sa mémoire : il y avait déjà cela entre eux ! Elle savait qu'elle pouvait le perdre à n'importe quel moment et elle frémit. Aussitôt Shep le perçut et lui demanda :

— Quelque chose vous chagrine ?

— Non, rien, murmura-t-elle.

— Vous savez que lorsqu'on s'aime, on se dit tout, ses soucis comme ses joies. J'ai vu un nuage d'angoisse passer dans vos yeux. Voulez-vous que nous en discutions ?

— Oh... vous allez me croire folle...

— Quelle idée ! je n'en ai pas la moindre intention.

— Cela va vous paraître si ridicule...

Avec un petit sourire en coin, il répondit :

— Mais qu'est-ce que je vais faire de vous, ma princesse irlandaise ? Allez, venez prendre une douche pour vous détendre. On parlera après.

Elle le regarda, étonnée.

— Une douche ?

— Bien sûr !

— Ensemble ?

Il eut l'air amusé.

— Pourquoi pas ?

— Je... cela ne m'est encore jamais arrivé de...

— Eh bien, il y a un commencement à tout. Vous allez voir, c'est très agréable.

Il l'entraîna jusque dans la salle de bains. Un sentiment étrange l'envahit, chassant momentanément ses appréhensions.

Avec des gestes infiniment délicats, il la débarrassa de sa robe de chambre et fit pleuvoir sur leurs deux corps nus un jet d'eau chaude. Elle s'abandonna à ses mains habiles et douces. Jamais elle n'avait pensé qu'une douche pût être aussi excitante. Il glissait ses mains savonneuses le long de son corps, s'attardant tendrement ici ou là.

— Vous avez un dos superbe, murmura-t-il.

Ses doigts remontèrent jusqu'à sa gorge, caressant légèrement ses seins. Elle frissonna et se serra contre lui, ardente, amoureuse.

Les lèvres de Shep esquissèrent un sourire. Plus que jamais, il appréciait ses réactions candides et franches. Avec elle, pas de mascarade. Au début, elle s'était montrée nerveuse, preuve que c'était bien la première fois qu'elle faisait cette expérience. Maintenant, ses désirs étaient assouvis et elle ne craignait pas de le montrer. Il se demanda quel genre d'union elle avait connu avec Jerry et se promit de lui faire découvrir les mille manières qu'avait un homme de témoigner son amour à une femme. Il l'emmènerait à nouveau dans les sierras et lui apprendrait combien il était bon de s'aimer en pleine nature... Il irait nager avec elle dans un lac de montagne...

Il se pencha et posa la bouche sur ses lèvres mouillées, la serra contre son corps ruisselant. L'eau chaude coulait en cascades légères sur leurs épaules. Elle posa sa tête contre la poitrine de son amant.

Il la tint enlacée un long moment encore, se penchant par moments pour baiser ses lèvres avec adoration. Puis ils se séchèrent mutuellement. Elle enfila sa robe de chambre dont il noua la ceinture. Un sourire dansait dans ses yeux.

— Je vous aime, dit Tess, en se jetant à son cou... Je viens de découvrir à quel point vous m'êtes cher.

180

— Chut ! fit-il, un doigt sur ses lèvres, les mots sont inutiles... je lis vos pensées dans vos yeux. Venez maintenant, je meurs de faim. Pas vous ?

— Comme un ogre !

Ils firent une orgie d'ananas, de bananes et de dattes.

Assise près de lui, elle était heureuse, apaisée. Tout au fond de son cœur, elle comprenait pour la première fois que son mariage avec Jerry avait manqué de cet élan juvénile qu'elle avait trouvé chez son amant. Que de choses elle avait découvertes entre ses bras ! Sans doute était-ce à cause d'une différence de philosophie entre les deux hommes, ou de style de vie...

Elle regarda les traits détendus de Shep et une immense reconnaissance l'inonda.

— Vous m'avez fait découvrir tant de... merveilles, Shep !

— Les pilotes d'essai sont toujours à l'affût de la nouveauté ! répondit-il en riant.

Tess lui donna une bourrade amicale.

— Cela n'a rien à voir avec votre métier. Expliquez-vous vraiment tous vos faits et gestes de cette manière ?

— Pourquoi pas ?

— Ce n'est pas mon cas ! Vous m'avez tant appris et... en si peu de temps !

Il la prit dans ses bras.

— Aussi, voulez-vous bien me dire maintenant pourquoi vous étiez inquiète tout à l'heure ? Je vous promets de ne pas me moquer de vous.

— Eh bien... quand vous avez eu cet accident avec le T-38, j'ai vraiment cru mourir et j'ai alors compris combien je tenais à vous. Jusque-là je n'étais pas sûre de vos sentiments à mon égard et je n'ai pas osé vous avouer ce que je ressentais. Et puis... vous m'avez dit avec désinvolture que vous aviez été choisi pour le vol d'essai du B-1.

181

Mon estomac s'est noué et la peur de vous perdre comme j'ai perdu Jerry m'a torturée à tel point que j'ai préféré m'éloigner de vous...

— J'avais remarqué combien vous étiez bouleversée quand j'ai atterri. J'aurais dû vous parler plus tôt.

Un silence pesa sur eux.

— Avez-vous encore peur de me voir périr dans un accident ?

— Plus que jamais, Shep ! Je viens seulement de vous trouver, comprenez-vous ? Si vous disparaissiez, je ne le supporterais pas.

— Cela n'arrivera pas, ma chérie, dit-il d'une voix rassurante.

— J'essaie de m'en convaincre mais mon cœur ne m'écoute pas. Voilà des années que je travaille sur le projet du B-1. Je connais ses performances aussi bien que vous... mais quand je vous imagine grimpant les seize marches de la passerelle et vous installant dans le cockpit, je deviens folle de terreur. J'ai pleuré toute la semaine comme une madeleine.

Il fronça les sourcils et lui caressa les cheveux en silence, cherchant un moyen de calmer sa frayeur. Soudain il eut une idée.

— Venez, dit-il. Habillez-vous, je vais vous emmener quelque part.

Elle le regarda, étonnée.

— A cette heure-ci ?

— Faites-moi confiance. Je crois que ce que je vais vous montrer dissipera vos craintes.

La nuit tombait. Ils prirent la route d'Edwards. Shep conduisait vite et la distance entre sa maison et la base parut à Tess plus courte que d'habitude.

Il était d'excellente humeur lorsqu'il la fit pénétrer dans le hangar qui abritait le B-1. Quelques lampes allumées dans un coin for-

182

maient des ombres fantomatiques. Leurs pas résonnaient sur le sol. Tout le reste était silence.

Au fond du hangar, un bureau était éclairé.

— Bill? appela Shep, passant la tête par la porte entrouverte.

Un petit homme chauve, replet, à la mine réjouie, se leva et vint à leur rencontre.

— Qu'est-ce que tu fabriques ici à cette heure tardive? On est sur le point de fermer.

Shep fit entrer Tess.

— J'ai une faveur à te demander, Bill. Mais d'abord, je te présente Tess Hamilton, un des cadres de Rockwell.

Bill tendit la main.

— Très honoré, madame Hamilton.

— Appelez-moi Tess, je vous en prie.

— Avec plaisir. Quelle est cette faveur?

— Je voudrais emmener Tess dans le simulateur de vol pour une très courte expérience. Il faut qu'elle sache ce qu'on éprouve sur ce bombardier.

Bill eut l'air surpris mais répondit avec jovialité:

— Bien sûr!

Une lueur malicieuse brilla dans ses yeux.

— Qu'est-ce que tu me donneras pour ma peine, capitaine?

— Tout ce que tu voudras!

— Une place dans ce bombardier le jour du premier vol!

Shep éclata de rire.

— Ah! Malheureusement cela ne dépend pas de moi, mon vieux!

Bill jeta un coup d'œil amoureux à l'appareil.

— Je le sais bien, va... Mais que ne donnerais-je pas pour y faire un tour! Il est si beau!

Shep jeta un coup d'œil à sa compagne.

— Tout le monde est de ton avis, dit-il.

La curiosité de Tess fut plus grande que son appréhension. Bill les conduisit dans l'immense laboratoire proche du hangar où tout un appareillage était posé sur de solides pieds en acier, à environ quinze mètres du sol.

— Voici le simulateur de vol du B-1, Tess. Bill est l'un des techniciens chargés du contrôle des expériences. C'est lui qui commande l'ordinateur. Notre entraînement a eu lieu ici même. Nous avons appris à utiliser l'équipement super-sophistiqué qui sera installé sur le bombardier.

— On monte là-haut ? demanda-t-elle.

— Oui. Un petit vol dans ce simulateur dissipera vos craintes, j'espère.

L'argument était valable. Tess escalada les marches qui conduisaient à la plate-forme où se trouvait la cabine de contrôle. Bill appuya sur un bouton et, lentement, la plate-forme s'éleva. Shep passa le bras autour des épaules de la jeune femme.

— On s'initie, sans quitter la terre, à tous les secrets de l'avion. Cela diminue les risques d'accident lors du premier vol. Le cockpit du simulateur est l'exacte réplique de celui du bombardier. De nos jours, il n'est plus question de prendre l'air dans un prototype sans l'avoir testé en simulateur. Tout l'équipement technique placé à bord est également soigneusement expérimenté : on l'améliore et, parfois même, on le change complètement.

La plate-forme s'immobilisa avec une petite secousse.

— O.K., Shep, dit Bill. Je suis à ta disposition. Quel programme veux-tu ?

— Je désire simplement que Tess ait une idée de ce que sont le décollage, la tenue de vol et l'atterrissage. C'est tout pour l'instant.

— D'accord. Installez-vous et préviens-moi quand vous serez prêts.

Avec un large sourire, il ajouta à l'adresse de Tess :

— Bon voyage !

Un silence absolu régnait dans le simulateur.

— Asseyez-vous sur le siège de droite et bouclez votre ceinture. Vous me servirez de copilote.

Elle obéit sans trop d'enthousiasme, les yeux fixés sur le tableau de bord où un nombre impressionnant de cadrans lumineux commençaient à s'animer sous son regard ébahi.

— Mettez votre casque, ordonna Shep en tournant une série de manettes.

Il brancha le contact radio avec la cabine de contrôle. La jeune femme l'écouta échanger avec Bill des propos techniques et peu à peu sa peur s'apaisa. Shep était si calme, si à l'aise dans ce décor auquel il semblait appartenir !

Devant elle, le levier de commande était baissé et un écran d'environ soixante centimètres sur soixante indiquait la visibilité et donnait la position exacte du bombardier par rapport à la terre ainsi que la vitesse de vol. Shep se livra à plusieurs vérifications, manœuvra les commandes de gaz : aussitôt le cockpit vibra comme sous l'effet d'un véritable moteur. Les aiguilles des différents cadrans oscillèrent. Tess était littéralement subjuguée. Shep la regarda.

— Prête pour le décollage ?

Elle hésita un court instant avant de crier :

— O.K.

— Mettez votre main sur le levier de commande, ordonna-t-il.

Elle l'observa, indécise.

— Allez-y ! Cela ne nous fera pas tomber ! N'oubliez pas que nous sommes posés sur de solides pieds d'acier et que nous n'allons nulle part.

Lentement, elle entoura la tige de métal froid de ses doigts maladroits.

— Très bien, fit Shep. Ainsi, vous sentirez comme moi vivre l'appareil. A partir de maintenant, tout ce que je vais faire sera exactement ce que j'aurai à accomplir lors du vol d'essai. Vous allez éprouver le vrai mouvement de l'avion, entendre les vrais bruits et expérimenter le vrai décollage. Et si vous regardez par le hublot, vous verrez se dérouler sur l'écran le vrai paysage autour et au-dessus de Palmdale.

A peine avait-il fini de parler que l'écran s'éclaira : une image en couleurs vint s'y inscrire. Tess resta bouche bée, émerveillée.

Shep appela la cabine de contrôle.

— Prêts.

La voix de Bill répondit sur un ton très professionnel :

— Visibilité illimitée, vent cinq nœuds de nord-nord-ouest. Autorisation de décollage accordée.

Une étrange sensation enveloppa Tess. Elle ressentait vraiment les vibrations de l'appareil, entendait le vrombissement des moteurs et voyait se dérouler sur l'écran le paysage qu'elle connaissait si bien.

Soudain, ils furent dans les airs, le nez de l'appareil pointé vers l'espace. Shep, le visage concentré sur les multiples tâches qui requéraient toute son attention, accomplissait des gestes précis et méthodiques. Ce n'était plus un homme comme les autres, mais un pilote entièrement absorbé par le travail qu'il aimait, écoutant chacune des réactions de son appareil, analysant avec soin les indications données par les divers instruments du tableau de bord. L'écran précisait qu'ils étaient à mille mètres d'altitude et qu'ils volaient à une vitesse de trois cent cinquante kilomètres/heure.

— C'est extraordinaire ! dit-elle.

La simulation de l'atterrissage, l'immobilisation de l'avion sur la piste la laissèrent sans voix.

— Alors, qu'en pensez-vous, ma princesse ? demanda Shep en coupant les moteurs.

— Je n'en reviens pas.

— Vous voyez, tout a été calculé pour parer à l'imprévu. J'ai passé des centaines d'heures dans ce simulateur. Nos réflexes sont tellement conditionnés que nous n'appréhendons même plus ce qui pourrait aller de travers. Vous comprenez maintenant pourquoi je ne me fais aucun souci ? Nous avons tous une confiance absolue en notre expérience. Vous sentez-vous plus détendue à présent ?

Elle prit une profonde inspiration et ses grands yeux s'emplirent de tendresse.

— Comme je vous remercie, Shep ! Dorénavant, j'aurai moins peur. Je me ferai quand même du mauvais sang pour vous... impossible de m'en empêcher mais cette expérience m'aidera à être moins angoissée.

— C'est ce que j'espère, dit-il en se levant. Allez, venez, il est temps pour vous de regagner Los Angeles. Avez-vous votre voiture ?

— Non, je suis venue avec Dan.

— Parfait. Cela me procurera le plaisir de vous raccompagner.

Ils remercièrent Bill de sa gentillesse et de sa coopération et quittèrent le hangar. Les étoiles brillaient dans le ciel sans nuages. Shep entoura les épaules de Tess de son bras et se pencha vers elle.

— Je vous aime, chuchota-t-il.

— Je suis si heureuse, répondit-elle en se serrant contre lui.

— Vous me répéterez cela quand je monterai à bord du B-1 ?

Elle rencontra son regard plein d'une tranquille confiance.

— J'ai encore quelques semaines pour me faire à cette idée ! J'y arriverai... Vous m'y aiderez.

Il l'embrassa tendrement.

— Un ou deux autres vols dans le simulateur feront le reste, j'en suis sûr. La seule chose qui me tracasse, ce sont les bielles de Barton.

— Ne vous inquiétez pas. Je m'en charge et je vous garantis que rien n'échappera à mon œil de lynx !

Chapitre 16

21 décembre.

— Eh bien, fit Charlie Starling promenant son regard le long de la grande table rectangulaire, voilà qui est terminé, messieurs.

Les pilotes d'essai, vêtus de leurs combinaisons de vol, se démarquaient des ingénieurs aéronautiques réunis dans la salle de conférences.

Le silence régnait sur l'assistance. Charlie referma le manuel où étaient inscrites toutes les consignes de vol du B-1. Ce jour-là, à Palmdale, la matinée avait été consacrée à vérifier les détails de dernière minute avant le premier vol prévu pour le lendemain, 22 décembre.

Charlie s'adressa aux pilotes :

— Rendez-vous demain matin à quatre heures trente précises dans le bâtiment opérationnel pour les renseignements météorologiques. J'espère que d'ici là les vents tomberont, sinon il faudra retarder l'expérience.

Shep referma son carnet de notes et le glissa dans sa poche de poitrine dont il tira soigneusement la fermeture Eclair. Le mois passé s'était écoulé à une vitesse vertigineuse. Il avait été continuellement sur les dents ; son excitation à la perspective de cette première tentative de vol n'avait fait que croître de sorte qu'il n'avait même pas encore pris le temps de faire ses achats pour Noël.

Il se leva et rejoignit Tom dans le hall.

— Alors, mon vieux, tu es prêt ?

— Je l'espère bien !

— Je suppose que Tess sera des nôtres, demain. A quelle heure viendra-t-elle ?

— En fin d'après-midi aujourd'hui, je pense. Elle procède actuellement aux dernières vérifications des pièces fournies par une société dont le directeur est peu fiable...

— Barton ?

— Exactement ! Viens, je t'invite à déjeuner au club.

Tous deux s'installèrent à une table dans un coin de la grande salle à manger et poursuivirent leur conversation.

— Tess a-t-elle toujours aussi peur de te voir exploser et t'écraser au sol ?

— Beaucoup moins, Dieu merci. Quelques vols en simulateur l'ont beaucoup rassurée. Lors de notre dernière expérience, j'ai demandé à Bill de simuler un accident pour qu'elle se rende compte comment nous réagissons et maîtrisons ce genre de problème.

— Et alors ?

— Je crois que cela a un peu démystifié les choses à ses yeux.

— Elle ne s'est pas évanouie ?

— Pas du tout. Elle a été vaillante comme un bon petit soldat. J'ai même été très fier d'elle. Elle commence à contrôler ses émotions et je l'en aime d'autant plus.

— C'est ce qu'on appelle mûrir... Elle était si candide !

— Oui. En un an, c'est extraordinaire les progrès qu'elle a faits.

— Tu dis qu'elle va affronter Barton aujourd'hui ? Ce sera un test. Je ne voudrais pas être à sa place car si je me trouvais en face de ce gredin, je ne pourrais m'empêcher de lui casser la figure, comme tu l'as fait l'autre jour.

— Si tu savais comme cela m'a fait plaisir !

— Doucement, l'ami ! fit Tom d'un air narquois. Les pilotes ne peuvent se permettre de malmener un de leurs semblables ; cela peut leur coûter cher !

Shep haussa les épaules et vida sa tasse de café.

— Tess ne m'a pas dit pourquoi elle l'avait convoqué.

Tom se leva.

— Elle a de l'énergie, cette petite femme, et saura comment le traiter... elle te mène bien par le bout du nez !

Shep se mit à rire.

— Oh oui... Elle a la manière avec moi !

Un sentiment chaleureux l'envahit. Il pensa à leurs relations qui s'étaient merveilleusement cimentées pendant les trois derniers mois. L'ultime barrière qui restait entre eux — sa peur de le voir s'écraser — ne l'avait pas complètement quittée mais avait considérablement diminué, grâce aux efforts qu'elle avait faits pour surmonter ses craintes. Il ne l'en aimait que davantage. Mais pour l'instant, il était inquiet pour elle. Son rendez-vous avec Barton était prévu pour après le déjeuner. Il aurait voulu être près d'elle pour la protéger : c'était quand même la première fois, depuis plus d'un an, qu'elle se trouverait en tête à tête avec l'odieux individu dont les mensonges avait gâché sa vie. S'en tirerait-elle toute seule ? Oui, sans doute. Elle avait le courage et la force de caractère nécessaires.

Tess avait la gorge nouée. Elle regardait avancer les aiguilles de la pendule et réfléchissait à ce qu'elle allait faire. Elle en avait débattu avec Dan qui avait approuvé son plan et donné toute latitude pour agir. Il ne lui restait plus qu'à mettre à exécution ce qui avait été décidé. Combien de nuits blanches cela lui avait-il coûté !

Elle entendit la voix de Barton dans le couloir et se redressa dans son fauteuil, prête à se battre.

Derek Barton entra dans la pièce. Son air de belette était accentué par une espèce de rictus qui lui relevait le coin des lèvres. Un éclat singulier brillait dans ses yeux noirs et ses cheveux bruns étaient soigneusement peignés.

— Asseyez-vous, monsieur Barton, fit Tess avec le sourire froid d'une femme d'affaires.

— Merci, madame Hamilton. Faut-il toujours vous appeler madame ? demanda-t-il d'une voix sarcastique.

— Comme vous voudrez, monsieur Barton, fit Tess sans le regarder.

Elle se leva et alla fermer la porte, ne tenant pas à ce qu'on entende leur conversation. Puis, avec le plus grand calme, elle regagna son bureau. La peur qu'elle avait éprouvée quelques minutes plus tôt se transformait en une sourde colère. Elle croisa les mains et le toisa.

— A quoi dois-je l'honneur d'être convié à ce tête-à-tête, chère madame ?

Tess ouvrit le dossier que lui avait remis le laboratoire de contrôle et en sortit un feuillet couvert de chiffres.

— J'irai droit au but, monsieur Barton. Les rapports de notre laboratoire ont attiré mon attention sur un fait regrettable : les bielles que vous nous avez livrées ne sont toujours pas conformes aux normes établies dans le devis. Nous vous avons prévenu plusieurs fois de cette anomalie mais vous semblez n'en pas tenir compte. Notre bombardier — qui vaut cinquante-quatre millions de dollars comme vous l'avez souligné vous-même à plusieurs reprises — risque d'en subir des dommages importants. Nous n'acceptons pas de courir ce risque.

Les yeux de Barton se rétrécirent et étincelèrent de colère.

— Voulez-vous dire par là que...

Tess lui tendit le rapport.

— Lisez vous-même, monsieur Barton. Aucune des pièces que vous nous avez fournies n'a résisté aux tests.

Barton pinça les lèvres, saisit les feuillets et s'enfonça dans son fauteuil.

Tess l'observa, luttant contre ses sentiments personnels. Il ne fallait à aucun prix mêler sa vie privée à cette affaire.

— Je peux vous apporter une série de rapports de notre laboratoire qui réfute totalement ces affirmations, dit-il en jetant les feuillets sur le bureau.

— Si vous voulez bien vérifier les termes de notre contrat, vous verrez que ce sont les tests du laboratoire de Rockwell qui doivent faire référence. M. Williams, notre directeur, et moi-même, sommes persuadés que vous n'avez pas respecté les conditions du contrat que vous avez signé. En conséquence, je vous informe que nous nous passerons désormais de vos services et que votre contrat avec nous est rompu. Nos bureaux vous en enverront la notification officielle par pli recommandé, comme il se doit.

Le visage de Barton devint blême.

— Espèce de...

Tess se leva rapidement et l'interrompit d'une voix coupante.

— Ne nous laissons pas aller à des insultes personnelles, monsieur. On vous a prévenu plusieurs fois des malfaçons de vos pièces et vous avez reçu de nos bureaux plusieurs lettres de réclamation. Cela ne vous a pas empêché de continuer à nous tromper sur la marchandise.

— Vous n'annulerez pas ce contrat, rugit-il en s'avançant vers elle, d'un air menaçant. Je connais les véritables raisons de votre rancœur à mon égard ? Vous vous vengez de ce que je vous ai surprise dans les bras de votre bel officier de l'Air Force ! Mais vous n'allez pas me gruger de soixante-dix millions de dollars pour cela, mon petit ! Je ne me laisserai pas faire ! Vous êtes peut-être l'assistante de Dan Williams, vous vous croyez sans doute très forte, mais attendez un peu ! J'ai une armée d'avocats qui vous feront rendre gorge. Croyez-moi, ce ne serait pas la première fois que les chiffres d'un rapport auraient été truqués en faveur de l'acheteur ! Je connais la chanson !

Des deux mains, Tess s'appuya sur son bureau, les yeux étincelants de fureur.

— Comment osez-vous accuser Rockwell de malhonnêteté ! C'est une honte, monsieur ! Ma décision n'a rien à voir avec mes sentiments personnels. On vous a dit à maintes reprises que votre alliage manquait de titanium. Savez-vous que quatre de vos livraisons ont été rejetées immédiatement et remplacées par celles d'un de vos concurrents qui, lui au moins, n'est pas un fraudeur ?

Tête haute, elle ajouta :

— Je ne veux pas voir ce bombardier risquer un accident à cause de vos bielles qui n'ont même pas résisté au test du simulateur de vol. La vie de plusieurs hommes est en cause. Vous vous en moquez peut-être, mais pas nous.

Barton se dirigea nerveusement vers la porte et se retourna rageusement sur le seuil.

— Epargnez-moi vos beaux discours humanitaires ! Votre intérêt est purement égoïste, tout le monde le sait. Mais ne croyez pas vous en tirer aussi facilement ! Je vous enverrai mon avocat aujourd'hui même. Quand j'aurai fait connaître à tous vos raisons d'agir, ce sera la curée, je vous le promets. Vous souhaiterez ne m'avoir jamais connu ! Je vous couvrirai de boue et Rockwell vous jettera dehors pour éviter d'autres scandales. J'espère, ajouta-t-il, que M. Williams sait pourquoi vous essayez de me retirer cette affaire, sinon il va avoir une belle surprise ! Je vous préviens, madame Hamilton, vous n'arriverez pas à vos fins.

Tess fit le tour de son bureau, raide de colère. Elle s'arrêta à quelques pas de Barton.

— Soyez assuré, monsieur, que mon patron est au courant de tout ce qui me concerne. Si vous portez des accusations contre moi ou qui que ce soit d'autre, je vous attaquerai en diffamation, vous et votre compagnie. Nos rapports de laboratoire seront mes pièces à conviction et tous les gens de Rockwell seront mes témoins. Je vous garantis que cela vous fera mal... très mal... En tout cas, à dater de ce jour, vous n'êtes plus dans la course pour le B-1. Alors, reprenez vos billes et à bientôt, en justice.

Shep vérifiait une dernière fois les éléments extérieurs du B-1. Il était presque sept heures du soir et la nuit tombait rapidement. Il s'arrêta devant le nez de l'appareil et regarda avec admiration le profil du cockpit. Il se sentait très excité car, en fin de compte, malgré les centaines d'heures de travail qu'ingénieurs et ouvriers avaient passées à réaliser cette merveille, la décision finale était entre ses mains, à lui seul, au moment où il actionnerait le levier de commande pour arracher le bel oiseau du sol. L'impression était enivrante.

Il s'éloigna un peu à contrecœur. Il voulait être à Lancaster pour accueillir Tess qui devait arriver d'un moment à l'autre.

— Shep ?

Il se retourna brusquement et, à son grand étonnement, vit la jeune femme debout près de la porte du hangar. Immédiatement, il remarqua ses traits tirés.

— Qu'est-ce qu'il y a ? demanda-t-il, hâtant le pas pour la rejoindre.

Elle lui sourit, heureuse de se retrouver près de lui. Il passa un bras autour de sa taille, l'observant avec inquiétude.

— Tout ne va pas très bien, dit-elle d'un air assez ambigu.

— C'est-à-dire ?... Barton ?

— Oui.

— Il vous a fait des misères ?

Elle hocha la tête.

— Faites-moi plaisir... j'ai besoin de boire quelque chose pour me remonter... allons jusqu'au club.

Devant un mélange de jus de tomate et de vodka, Tess raconta ce qui venait de se passer dans son bureau et les menaces proférées par Barton. Shep l'écoutait attentivement.

— Il bluffe, ma chérie. Il n'a aucun moyen de sauver sa société en faisant un procès, surtout avec les preuves accablantes que nous avons contre lui ! Jamais aucun avocat ne prendra en main une cause aussi indéfendable !

— Vous avez raison, admit-elle, serrant la main de Shep dont la fermeté et la chaleur la rassuraient.

— En tout cas, je suis rudement fier de vous,

Tess. Vous avez agi en chef, vous progressez de jour en jour.

Il lui sourit tendrement et poursuivit :

— Ecoutez, je dois être ici demain à l'aube. Alors, si vous êtes d'accord, rentrons à la maison, dînons et dormons. J'ai besoin d'un long repos avant l'épreuve qui m'attend.

— Oui, dit-elle. Une bonne nuit de sommeil nous fera du bien.

Elle lui jeta un regard langoureux. Incontestablement, il était le pilote rêvé pour ce premier vol. Il possédait un extraordinaire esprit d'analyse, des réflexes prodigieux et un sixième sens qu'elle avait découvert lors des vols en simulateur. Elle avait confiance en lui. Il saurait manœuvrer le B-1 quoi qu'il arrive.

Chapitre 17

La nuit tombait vite sur le désert du Mojave. Des rafales glacées balayaient l'étendue sablonneuse. Pelotonnée dans les bras de Shep, Tess écoutait le vent siffler dans les arbres autour de la maison. Rassasiée de tendresse, elle passa amoureusement les doigts sur sa poitrine. Shep posa les lèvres sur ses cheveux.

— Vous pensez si fort que j'entends tout ce qui vous passe par la tête ! dit-il.

Son souffle chaud lui caressait la joue. Ils venaient de s'aimer plus merveilleusement que jamais et elle se demandait si c'était la dernière fois... à huit heures, il s'envolerait sur le B-1 !

Elle ferma les yeux et cacha son visage contre l'épaule de Shep. Elle avait besoin d'être consolée, rassurée comme il le faisait toujours quand il la sentait angoissée. Il se redressa sur un coude et la serra contre lui d'un bras protecteur.

A la lueur des rayons de la lune qui filtraient à travers les rideaux, elle rencontra son regard. Comme il avait l'air fort et confiant ! Aucune trace d'anxiété ne marquait son visage, rien que le souci qu'il se faisait pour elle. Elle lui passa les bras autour du cou et se pressa contre lui.

— Je vous aime tant ! murmura-t-elle.

— Ah... ma princesse irlandaise est à nouveau

198

la proie de ses terreurs. Ne vous inquiétez pas, tout ira très bien.

— Si je le pouvais, j'empêcherais le jour de se lever.

— Ce serait bien inutile, chérie. Demain commence une autre vie pour nous deux et elle promet d'être excitante.

— Je n'en doute pas, dit-elle en esquissant un faible sourire.

— Viendrez-vous sur le terrain malgré les reporters, les journalistes et la foule des curieux ?

Elle garda le silence. Pourrait-elle supporter tout ce monde ? Mais comment rester éloignée et sans nouvelles jusqu'à l'atterrissage ? S'il arrivait quelque chose, elle n'en serait pas informée !

— Oui, j'y serai.

— Je vous aime pour votre courage, Tess. Rassurez-vous, il est normal d'avoir des cauchemars avant un vol de cette importance !

Il la berça dans ses bras comme une enfant.

— Tout ira bien, mon amour... D'ailleurs il le faut absolument... Je n'ai pas encore eu le temps d'acheter votre cadeau de Noël !

Emue, elle le regarda.

— C'est vrai ?

— Oh ! Je suis impardonnable ! J'attends toujours la dernière minute... C'est une mauvaise habitude !

— Je n'ai pas besoin de cadeau, Shep. Vous êtes tout ce que je veux, tout ce qu'il me faudra toujours.

— Vous ne m'empêcherez pas de vous offrir un cadeau ! Même si je dois pour cela fondre sur les boulevards de Lancaster avec mon bombardier !

— Je vois d'ici la tête que feraient nos chers concitoyens !

Il posa de petits baisers sur son nez, ses yeux et ses lèvres.

— J'aime vous voir rire. Allons, il faut dormir maintenant. La journée sera dure.

Tess se nicha contre lui. Sa seule présence calmait ses appréhensions. Bientôt ses longs cils tombèrent sur ses joues. Elle dormit profondément le reste de la nuit.

L'officier avait l'air très abattu lorsqu'il vint rejoindre Tess.

— Le vol a été annulé pour aujourd'hui, fit-il tristement.

Une centaine de reporters s'étaient agglutinés devant la porte de la salle de conférences où Charlie Starling faisait face, de son mieux, aux questions qui pleuvaient.

Shep entraîna Tess dans un coin du hall, s'efforçant de passer aussi inaperçu que possible dans son costume vert olive.

— Qu'y a-t-il ? demanda la jeune femme.

— Les vents en altitude sont, paraît-il, trop violents.

Un groupe de reporters s'avançaient vers lui. Il les vit s'approcher sans enthousiasme et ajouta à mi-voix :

— Je vais essayer de me débarrasser d'eux au plus vite. Attendez-moi au restaurant. Je vous y rejoins dès que je serai libéré.

Elle s'assit à une table retirée et commanda un café. Une foule innombrable entrait et sortait par les portes de verre. Depuis que le vol avait été annulé, les journalistes du monde entier affluaient et communiquaient les décevantes nouvelles à leurs bureaux respectifs.

Plus d'une heure s'était écoulée depuis que Tess avait quitté Shep. Elle savait que donner des interviews était une des obligations de son métier qu'il détestait et elle le plaignait intérieurement.

Lentement, elle avala son café. Un jour de

sursis, pensa-t-elle... c'est toujours bon à prendre ! Mais la déception qu'elle avait lue dans les yeux de Shep lui donnait des remords : elle se sentait coupable d'être heureuse de cette annulation. Ce délai imprévu lui laissait un répit, pourtant, ce n'était que partie remise, elle le savait. Jamais elle ne pourrait empêcher Shep de réaliser l'œuvre de sa vie. Voler était sa vocation. Comment pourrait-elle s'y opposer sans lui gâcher l'existence ? Au contraire, il fallait qu'elle l'aide aujourd'hui à surmonter sa désillusion.

— Il vous reste un peu de café ?

Tess leva brusquement la tête en entendant la voix de Shep. Il ôta sa casquette et s'assit près d'elle, la mine défaite. Elle lui versa une tasse.

— Voulez-vous que j'y ajoute un peu de whisky ? demanda-t-elle en riant.

— J'en aurais bien besoin ! Ces sacrés reporters m'ont assailli comme une bande de loups.

Tess lui caressa la main.

— Je suis désolée de ce contretemps. J'aurais vraiment voulu que vous preniez les commandes du B-1 aujourd'hui... Mais demain peut-être...

Il lui jeta un regard indéchiffrable.

— Si seulement ces vents s'apaisaient !

— Que se serait-il passé si vous aviez quand même pris les airs ?

— Rien du tout, c'est cela qui est le plus bête ! Charlie craint que les vents n'imposent à l'appareil un effort excessif. Mais chacun sait que les véritables raisons de cette annulation sont politiques et non techniques. Le B-1 aurait parfaitement supporté d'être un peu malmené.

— Vous croyez vraiment ?

— Mais oui, bien sûr. Avez-vous vu cette meute de politiciens qui est sortie tout à l'heure du D.C. ?

— Oui. J'ai même reconnu Diane Browning.

— Et Stockwell.

— Oh ! Mon Dieu ! Il est là ?

— Evidemment ! Vous pensez bien qu'il n'allait pas rater l'occasion de voir tourner les choses à la catastrophe. Cela lui a permis de crier sur les toits qu'il avait raison et que ce bombardier est un désastre financier. Savez-vous comment il l'appelle ? « La Baleine » !

— Ce n'est pas possible !

Shep lâcha un juron.

— Baleine... éléphant... qu'est-ce que cela peut faire ?

Elle sentit l'intensité de sa déception.

— Ne soyez pas contrarié. Ce qui compte pour vous, c'est votre mission. Moquez-vous de toutes ces manœuvres politiques qui, malheureusement, sont impossibles à éviter.

— C'est vrai, mais elles nous coûtent cher ! Car pour dire la vérité toute crue, notre mission a été annulée aujourd'hui à cause de Stockwell qui aurait été ravi de nous voir nous écraser au sol et brûler comme des torches vivantes.

Il prononça ces mots avec tant de froideur qu'elle frissonna.

Qu'ils s'écrasent et qu'ils brûlent ? Etait-ce vraiment ce que souhaitait Stockwell ? Une inquiétude la saisit... mais elle se rappela qu'elle avait promis à Shep de ne pas s'abandonner à la peur. Elle répondit d'une voix calme :

— Cela ne se produira pas, j'en suis sûre. Quant à Stockwell, je me ferai un plaisir de ne pas me placer trop loin de lui pour jouir de sa mine déconfite quand vous arracherez du sol votre bel oiseau.

Les yeux gris étincelèrent aussitôt de tendresse. Il lui prit la main et la porta à ses lèvres.

— Comme vous savez bien dire les paroles que mon cœur attend ! Je vous adore, mon ange.

Le sénateur Stockwell entra dans le restaurant d'un pas triomphant. Il prit place à une table avec ses collaborateurs, non loin de Tess et Shep. Pour lui, la matinée avait été un succès complet. Il se flattait d'avoir parlé à tous les journalistes et à tous les reporters de télévision. Se frottant les mains d'un air satisfait, il regarda son secrétaire général, Gary Owens.

— Eh bien, Gary ! Nous avons crevé tous les ballons de baudruche du sénateur Browning, n'est-ce pas ? Elle aura du mal à s'en relever ! Pensez donc ! Les vents sont trop forts ! A croire que cette grosse baleine est faite en carton-pâte ! S'ils sont obligés de la laisser au sol chaque fois que souffle la moindre brise, ils seront ridicules ! Quelle publicité pour un avion de guerre !

— En effet, répondit Owens avec un sourire poli. Tous les reporters ont apprécié la justesse de vos jugements antérieurs !

— Cela se fête ! dit Stockwell en levant son verre.

L'obscurité était totale. Réveillée en sursaut, Tess s'assit sur le lit. Ce n'était qu'un cauchemar ! Elle était en nage. Le petit réveil aux aiguilles phosphorescentes brillait à côté d'elle mais elle refusa d'y porter le regard : elle ne voulait pas savoir combien il lui restait de temps avant que Shep lui soit arraché.

— Tess ?

Elle se tourna vers lui, le cœur plein d'amour. Elle sentit la chaleur rassurante de sa main posée sur son dos.

— Excusez-moi, murmura-t-elle, je ne peux pas dormir.

— De toute façon, il est presque l'heure de se lever, dit-il en l'attirant dans ses bras.

— Combien de temps encore ?

— Quarante-cinq minutes.

Il la serra contre lui pour qu'elle sente combien il la désirait.

— Vous vous êtes réveillée en sursaut. Encore un cauchemar à propos du vol d'essai ?

Elle hocha la tête en silence. Une grande partie de son inquiétude se dissolvait sous la douce caresse de ses doigts. Elle se dit qu'il avait dormi profondément et que par conséquent cela signifiait qu'il ne se faisait aucun souci et que tout irait bien...

— Vous savez, reprit Shep, Dave Faulkner m'a dit que sa femme rêvait aussi chaque fois qu'il partait en mission. Vous n'êtes pas la seule ! C'est rassurant, non ?

— Aimez-moi, murmura-t-elle en l'embrassant avidement.

Il l'enlaça et posa un baiser passionné sur ses lèvres.

— Je vous aime plus que ma vie, chuchota-t-il. Vous faites partie de moi-même. Je veux vous aimer si profondément que nous ne ferons plus qu'un seul être, désormais.

Tess jeta les bras autour de ses larges épaules et chercha sa bouche.

Lentement, savamment, Shep se mit à la caresser. Il glissa les mains le long de son dos, de son ventre, s'attardant tendrement entre ses cuisses. C'était comme s'il jouait de la harpe sur son corps, réveillant de ses doigts habiles la plus harmonieuse des mélodies.

Elle s'agrippa à ses épaules, le souffle court, se cambra, offerte à son désir, brûlant de l'envie de lui appartenir complètement. Alors, tendrement il la fit sienne, et leurs corps s'unirent avec passion.

Un plaisir extraordinaire l'envahit si violemment qu'elle le reçut comme une onde de choc. Petit à petit, il l'amena à son propre rythme, et ce fut encore une fois une explosion de bonheur qu'ils partagèrent intensément. Elle s'abattit sur sa poitrine, le cœur battant. La sueur perlait entre ses seins. Shep se pencha et y posa les lèvres, s'enivrant de sa chaleur. Il la tenait serrée contre lui, heureux, incapable de donner un nom à ses émotions tant elles étaient fortes.

Ils s'étaient aimés avant l'aurore, une aurore décisive pour leur existence.

Il ferma les yeux, ravi de ressentir cette bonne fatigue qui vient après l'amour.

— Je vous aime, murmura-t-il, maintenant et à jamais !

— Je suis à vous pour toujours.

L'obscurité se dissipait lentement sur le désert du Mojave. Rien ne bougeait sur l'immensité sèche et aride, sauf les animaux nocturnes, tels les coyotes, qui cherchaient refuge avant le lever du jour.

Le B-1, dans sa splendeur solitaire, se tenait immobile dans le silence du petit matin. Bientôt une équipe de techniciens l'entoura pour se livrer aux vérifications d'usage. Pas le moindre vent ne perturbait l'atmosphère en cette veille de Noël. La nature semblait retenir son souffle dans l'attente de l'événement fantastique qui allait se dérouler ce jour-là.

Tout le long de la piste que devait emprunter le bombardier pour se rendre sur l'aire de départ, des caméras de télévision avaient été installées. Reporters et photographes du monde entier se pressaient sur l'estrade réservée aux personnalités. On plaçait des micros un peu partout et les techniciens de Rockwell en vérifiaient le bon fonctionnement.

A l'horizon, une lueur rose envahissait peu à

peu le ciel, chassant les dernières nappes grises de la nuit.

Shep finissait de nouer les lacets de ses bottes d'uniforme. Un sourire heureux flottait sur ses lèvres. Le grand moment était enfin venu et il allait l'aborder encore tout imprégné de l'amour de Tess.

Une lueur d'excitation brilla dans ses yeux lorsqu'il se dirigea vers la salle de conférences : dans quelques heures il serait aux commandes de ce bombardier qui n'avait encore jamais fendu l'espace de ses ailes ; il le guiderait d'une main experte comme une femme fragile et sensible.

Lorsqu'il pénétra dans la pièce dont l'entrée était sévèrement gardée, tous ses coéquipiers et les membres du département technique de vérification avaient un visage sérieux et concentré. Assis autour de la table, un carnet de notes ouvert devant eux, ils parlaient à voix presque basse.

Charlie Starling regarda les trois hommes qui allaient prendre place à bord du B-1.

— Avez-vous des questions ?

Ils secouèrent la tête.

— Bon. Soyez prudents, c'est tout ce que je vous demande. Les vents en altitude sont favorables. Si on vous envoie un signal d'alarme, rejoignez aussitôt la base. Je sais que vous n'avez pas l'habitude de paniquer mais aujourd'hui, avec tous ces vautours qui nous guettent et qui ne rêvent que de catastrophes, il faut être doublement attentifs. Stockwell et sa bande applaudiraient des deux mains s'il vous arrivait malheur. Alors, vous décollez, vous faites un tour et vous revenez. La prochaine fois, vous serez plus tranquilles et vous pourrez vous livrer à d'autres expériences.

Dave Faulkner sourit. Ses yeux pétillaient de malice.

— Ne t'inquiète pas Charlie, on le ramènera, ton bombardier, n'est-ce pas, les gars ?

Shep et Pete hochèrent la tête. Alors Faulkner se dressa de toute sa haute taille.

— Allons, il est temps de frapper les trois coups, d'autant plus que j'ai encore tous mes cadeaux de Noël à acheter.

Shep éclata de rire.

— Dieu merci, je ne suis pas le seul !

L'hilarité saisit la salle. La tension cédait devant cet accès de bonne humeur.

Shep alla récupérer le carnet d'instructions préliminaires qui serait utilisé pour les ultimes vérifications au sol avant le décollage. Il fit signe à Dave.

— Rendez-vous dans une minute à l'avion.

— Entendu, vieux.

Shep ouvrit la porte et se trouva en face d'une trentaine de reporters qui le bousculèrent, cherchant à obtenir de lui des renseignements techniques. Il se fraya patiemment un passage au milieu d'eux. L'excitation était à son comble, mais l'officier gardait son calme. Il regarda sa montre : il restait exactement une heure et demie avant l'envol.

Tess se retourna quand elle entendit le pas de Shep derrière elle. Elle prenait un rapide petit déjeuner avec les personnalités de Rockwell. Ses lèvres s'entrouvrirent et son cœur se mit à battre précipitamment tandis qu'il s'approchait de leur table, superbe dans son uniforme. Il salua les compagnons de Tess et se tourna vers elle.

— Avez-vous une minute ?

— Pour vous, toujours !

Il la prit par le bras et l'entraîna dans la pièce voisine. Tess s'approcha de la fenêtre et regarda le soleil levant.

— Une belle journée en perspective, fit-elle.

Shep était debout derrière elle, les mains sur ses épaules.

— Oui, en effet.

Il lui fit faire demi-tour et la serra contre lui, vibrant à nouveau de désir.

— Dans quelques instants, je vais m'envoler, Tess. Etes-vous sûre que tout va bien pour vous ?

— Oui, mon amour, ne vous inquiétez pas.

Il posa un baiser sur ses lèvres, sentant à la fois sa peur et sa volonté de la maîtriser. Avec un sourire, il murmura :

— Vous êtes courageuse, ma princesse. Je vous aime davantage de jour en jour.

Elle ne sut que répondre. Sa gorge se noua sous l'effet de l'émotion. Elle lui caressa la joue.

— Je n'imagine personne d'autre que vous à bord de ce bombardier, fit-elle d'une voix mal assurée. C'est grâce à vous que je peux y penser sans frémir, grâce à votre patience, votre compréhension. Vous m'avez aidée en tout... vous m'avez rendu ma liberté, permis de redevenir moi-même. Vous verrez que cet avion vous répondra comme moi ! Il a le cœur d'une femme. Je sais qu'il volera pour l'amour de vous.

Il chuchota son nom et la serra contre sa poitrine.

— Oh ! Tess, Dieu seul sait combien je vous aime.

Il enfouit son visage dans la masse soyeuse de sa chevelure.

Un sentiment inconnu envahit la jeune femme tandis qu'elle restait immobile et heureuse dans ses bras. C'était comme si elle venait de comprendre l'indéfectible amour de Shep pour son métier à travers ses propres émotions. Soudain, ce bombardier était une créature vivante dont le moteur était le cœur palpitant.

Quand il relâcha son étreinte, il la regarda avec des yeux étranges.

— Ecoutez, dit-il d'une voix un peu rauque, j'ai une question à vous poser. Vous ne me répondrez qu'à mon retour, après le vol d'essai. Promettez-le-moi.

— Promis. Qu'est-ce donc ?

Un sourire releva les coins de la bouche du bel officier et ses yeux s'emplirent de passion.

— Voulez-vous m'épouser, Tess ?

Le cœur battant, elle laissa échapper un cri de bonheur.

— Ne dites rien maintenant... venez me retrouver à Edwards. Alors seulement, quand tout sera terminé, vous me donnerez votre réponse. Je vous aime, ma princesse.

Il lui prit les lèvres avec une fougue qui la toucha jusqu'à l'âme. Elle se pendit à son cou.

— A tout à l'heure, mon amour, dit-il en s'éloignant.

Elle le regarda s'en aller... Mon Dieu, pensa-t-elle, faites que ce ne soit pas la dernière fois que je le vois !

Chapitre 18

Le soleil se leva, dessinant de longues traînées roses sur le désert. Palmdale avait l'air d'être embrasé par un incendie. Des milliers de personnes attendaient dans un désordre et une excitation indescriptibles.

Les gens de Rockwell, le visage impénétrable, prirent place dans la tribune réservée aux officiels. Assise près de Dan, les mains crispées sur ses genoux, Tess reconnut, à sa droite, le sénateur Diane Browning. Elle lui fit un petit signe de tête. Plus loin, à l'autre extrémité de la tribune, Stockwell et son groupe de chacals attendaient la curée.

Tess serra les lèvres encore toutes vibrantes du dernier baiser de Shep. L'équipe de pilotage monta dans une jeep et se dirigea vers le B-1. Shep était facile à repérer à cause de sa haute taille. Elle le vit descendre du véhicule et marcher calmement vers le bombardier. Devant la passerelle, il s'arrêta, laissant Faulkner grimper le premier. Il tourna la tête vers les tribunes, cherchant à distinguer la frêle silhouette de Tess. Mais il y avait tant de monde que c'était impossible. Il savait qu'elle était là et cela seul comptait.

D'un geste presque tendre il glissa la main sur la surface lisse et satinée de l'appareil chauffé par le soleil. Il eut l'impression de le sentir vivre sous ses doigts et lui donna une tape amicale. Puis, à son tour, il escalada les marches qui conduisaient au cockpit.

L'atmosphère était tendue. Chacun des trois hommes s'absorba dans sa tâche. Enfin, les vérifications d'usage terminées, Faulkner se tourna vers Shep.

— Prêt ?

Shep sourit, fixa son casque avec soin et répondit :

— O.K.

Ils fixèrent les courroies de leur parachute, ajustèrent leur masque à oxygène. Shep se pencha, manœuvra plusieurs manettes.

L'équipe de techniciens au sol avait achevé sa mission et chacun regardait le bel oiseau prêt à s'envoler. A travers le hublot, Faulkner leur fit signe en levant le pouce. Ils s'éloignèrent aussitôt en faisant le V de la victoire.

— En route !

Shep baissa la manette des gaz. Les moteurs vrombirent et le B-1 fut secoué comme par une vague déferlante.

Attentif au moindre bruit, sachant que la plus petite altération du son indiquerait une défaillance, Shep sentit la superbe machine répondre parfaitement à ses ordres. Il regarda Faulkner.

— Le moteur ronronne bien !

— Appelle la tour de contrôle et dis-leur que tout est prêt pour le décollage.

Tess était si crispée que les jointures de ses mains la faisaient souffrir. Dans le silence le plus absolu, elle vit le bombardier s'ébranler lentement, étincelant sous les rayons du soleil. Passant avec majesté devant les tribunes, il se dirigea vers l'aire de départ. La gorge sèche, elle faillit agiter la main, sachant que Shep était assis près du hublot. Mais elle resta figée dans l'angoisse.

— Mon Dieu, fit quelqu'un derrière elle, qu'il est beau !

— Il est superbe, renchérit un autre.

A l'intérieur du cockpit, le soleil avait fait monter la température. Les trois hommes suaient à grosses gouttes mais ne s'en souciaient guère : leur excitation était à son comble.

Lentement l'appareil pivota sur lui-même et se plaça face à la piste d'envol.

— Shep, dit Faulkner, appelle la tour de contrôle et dis-leur que nous attendons l'autorisation de décoller.

Tous les propos échangés entre les pilotes et les contrôleurs étaient relayés par des haut-parleurs fixés aux tribunes. Ainsi chacun était à même de suivre les opérations.

— B-1 appelle la tour. Prêts pour l'envol.

— La tour appelle B-1. Affirmatif. Vent : ouest-sud-ouest, cinq nœuds, visibilité parfaite. Autorisation de décollage accordée. Bonne chance.

Shep se tourna vers Faulkner, le pouce en l'air.

— Tu as entendu ? Allez, on y va, mon vieux.

Dans les tribunes, les spectateurs retenaient leur souffle. Le vrombissement des moteurs s'amplifia. Toutes les caméras, tous les appareils de photo étaient prêts à fixer ces images extraordinaires.

Soudain, l'avion prit de la vitesse. Le nez de l'appareil se redressa et le bombardier s'arracha du sol, projeté verticalement vers l'azur. La foule poussa une clameur énorme. Des cris fusèrent de toutes parts. Les gens sautaient de joie. Emue aux larmes, Tess vibrait à l'unisson du bel engin qui fonçait vers le ciel, dirigé par la main habile de Shep. Le bruit des moteurs diminua petit à petit et bientôt l'appareil ne fut plus qu'un point brillant dans le ciel.

Debout au milieu de la foule en délire, Tess pensait aux sept années de travail qu'il avait fallu fournir pour amener le B-1 à son jour de gloire. Elle ne pouvait rien faire d'autre maintenant que le regarder voler comme une mouette gracieuse à travers l'immensité. Comme Jerry eût été heureux de voir la gloire de cet engin qu'il avait conçu. Mais Shep avait pris le relais : il était aux commandes et se trouvait maintenant responsable de l'œuvre que Jerry avait dû abandonner.

Dan la conduisit à la base d'Edwards où était prévu l'atterrissage. Des milliers de personnes s'y rendaient également, désireuses de suivre jusqu'au bout cet exploit national.

— Regardez ! Le voilà ! cria quelqu'un.

Le bruit des moteurs s'amplifia et le B-1 réapparut, plongeant vers le sol. Il se posa en douceur, soulevant une tornade de sable doré. Le vol avait duré une heure dix-huit exactement. Une ovation déferla sur l'assistance, tel un roulement de tonnerre, lorsque l'équipage mit pied à terre. Tess, dressée sur la pointe des pieds, essayait d'apercevoir Shep. Elle riait de bonheur en voyant son visage rayonner de joie ; jamais elle ne l'avait vu aussi radieux.

Poursuivis par les caméras de la télévision et les photographes, les trois hommes se dirigèrent vers les micros. Les questions pleuvaient et chacun avait à cœur d'y répondre avec précision.

— Le B-1 s'est comporté exactement comme prévu lors de nos expériences en simulateur, déclara Faulkner avec un sourire satisfait.

— Capitaine Ramsey, cria l'un des reporters, donnez-nous vos impressions.

— Pour un premier vol, je dois reconnaître que

c'est une réussite totale. Nous n'avons eu aucune surprise désagréable et je me suis senti aussi à l'aise que si j'avais piloté cet appareil des centaines de fois auparavant.

Au moment où il s'écartait pour laisser le micro à Pete Vosper, il aperçut Tess, resplendissante dans sa robe ivoire à col montant et manches longues. Y avait-il déjà plus d'un an qu'il l'avait rencontrée à cette réception ? Leurs regards ne se quittèrent plus. Elle sourit et, des lèvres, forma le mot « oui », espérant qu'il comprendrait à distance. Il hocha la tête et sourit à son tour.

Après la conférence de presse, peu à peu les reporters quittèrent les lieux. Quelques-uns seulement restèrent sur place, à l'affût d'informations de dernière minute.

Vers midi, la porte s'ouvrit et Shep parut sur le seuil. Il ne vit que Tess. Il ouvrit les bras où elle courut se jeter. Son regard gris-argent brillait de bonheur.

— Etait-ce bien un « oui » que j'ai lu sur vos lèvres tout à l'heure ?

— Oui, mon amour, murmura-t-elle.

Avant qu'elle ait pu prononcer un seul autre mot, il l'embrassa. Plusieurs flashes partirent, les prenant par surprise.

Shep leva la tête en riant.

— De quoi s'agit-il, capitaine Ramsey ? demanda l'un des reporters.

— D'une demande en mariage, répondit Shep.

— Vous êtes bien Mme Hamilton, de Rockwell, l'assistante de l'ingénieur en chef Dan Williams ? fit un journaliste, sortant son carnet de notes.

Tess et Shep se sourirent. Elle se sentait en sécurité entre ses bras.

— Oui, en effet.

214

— Voilà une nouvelle sensationnelle ! Le capitaine vient-il de vous faire sa demande ?

— Non, il me l'avait faite avant le vol.

— Bien entendu, vous avez dit oui.

— Evidemment.

Sur le chemin du retour à Lancaster, Tess demanda à Shep :

— Alors, dites-moi, comment était-ce ?

— Formidable ! C'est une expérience fabuleuse ! On en sort grandi, mûri !

— Tout à l'heure, pourtant, à la conférence de presse, vous aviez l'air d'un petit garçon !

— Vraiment ? fit-il, inquiet.

Elle éclata de rire.

— Je vous taquine, gros bêta ! J'ai été la seule à m'en apercevoir, je vous assure !

— Ah bon ! Me voilà soulagé ! J'avais peur pour mon image de marque ! Et vous, ma chérie, avez-vous eu peur ?

— Au début, oui, admit-elle. Mais plus du tout après le décollage... c'était si beau !

— Quelle superbe machine... et si performante ! Jamais je n'avais volé sur un avion comme celui-là. Jerry et son équipe ont réalisé un travail extraordinaire, je tenais à vous le dire. Nous leur devons beaucoup... tout le pays leur est reconnaissant.

Elle posa la tête sur son épaule, touchée par la délicatesse de ses sentiments.

— Je vous aime, dit-elle doucement, plus que jamais !

Il l'embrassa sur les cheveux.

— Il faut qu'on aille faire nos courses de Noël, maintenant.

— C'est un ordre, capitaine ?

— Absolument !

— Vous n'avez vraiment pas besoin de m'ache-

215

ter quoi que ce soit. C'est vous que je veux et rien d'autre !

Tess s'étendit sur le canapé pendant que Shep prenait une douche bien méritée. Ces derniers jours avaient été très durs pour elle. Elle avait peu dormi, trop tourmentée par la perspective de ce vol d'essai.

Elle ferma les yeux... Le dernier bruit qu'elle entendit avant de sombrer dans un lourd sommeil fut celui de l'eau coulant dans la baignoire.

Shep rentra chez lui tout doucement. La nuit était tombé et, malgré la chaleur de la journée, le vent du soir piquait un peu. Sur la pointe des pieds, il alla de la cuisine à la chambre à coucher plongée dans l'obscurité.

En sortant de la douche, tout à l'heure, il avait trouvé Tess profondément endormie sur le canapé. N'ayant pas eu le courage de la réveiller, il l'avait prise dans ses bras et portée sur le lit pour qu'elle soit plus à l'aise.

Il alluma la lampe de chevet et s'assit au bord du lit, la contemplant avec tendresse. Un sourire fleurissait sur ses lèvres. Sa peau était transparente et rose comme une pêche et de grands cernes noirs marquaient encore sa fatigue. De petites mèches de cheveux barraient son front. D'un geste léger, il les repoussa. Elle fronça les sourcils.

De la poche de sa veste il sortit un écrin de velours et le posa sur la table de nuit.

Il jeta un regard autour de la pièce. Ici même, dix-huit heures plus tôt, ils s'étaient aimés sans savoir s'ils se reverraient. Mais le destin n'avait pas décidé de les séparer encore. Il était revenu, heureux de retrouver la femme à laquelle il tenait plus que tout au monde et ne souhaitant qu'une chose : dormir à ses côtés.

Doucement, il ôta le traversin de dessous sa tête et se mit à la déshabiller. Elle gémit, à demi réveillée, tandis qu'il faisait glisser la robe de ses épaules et dégageait ses bras des longues manches bouffantes. Elle leva la tête, entrouvrit les yeux mais les couvrit aussitôt de ses mains pour les protéger de la lumière.

— Shep? murmura-t-elle d'une voix ensommeillée.

— Tout va bien, mon amour. On va dormir...

Elle marmonna quelque chose d'incompréhensible, la tête lourdement appuyée contre son épaule. Il la glissa, nue, sous les couvertures, la regarda sombrer de nouveau dans le plus profond des sommeils, se dévêtit et s'étendit près d'elle après avoir éteint la lumière.

Le soleil entrait à flots dans la chambre. Tess remua et instinctivement se nicha tout contre le corps de Shep. Il caressa sa joue.

— Enfin réveillée, ma princesse! dit-il gaiement. Savez-vous qu'il est presque dix heures?

Elle s'étira langoureusement, chercha ses lèvres et se blottit contre sa poitrine.

— Joyeux Noël, mon amour!

— Mon Dieu! C'est vrai... il faut aller faire vos courses.

— J'y suis allé sans vous.

— Oh! Shep, je suis désolée...

— Vous dormiez si bien que je n'ai pas eu le cœur de vous réveiller. Vous êtes-vous aperçue que je vous ai portée jusqu'ici et déshabillée?

— Non! pas du tout! fit-elle confuse.

Elle se glissa hors du lit mais il la rattrapa par la main.

— Où allez-vous?

— Préparer un bon petit déjeuner que nous prendrons au lit pour célébrer le succès d'hier!

En riant, il la fit basculer dans ses bras et l'embrassa comme un fou.

— Nous avons une autre raison de fêter ce jour, ma chérie.

Il saisit le petit écrin et le lui tendit.

— Joyeux Noël, mon ange.

Elle le regarda, émue jusqu'aux larmes.

— C'est... cela que vous êtes allé chercher pendant que je dormais ?

— A vrai dire, j'avais passé la commande il y a quelques semaines déjà. Je n'avais plus qu'à trouver le temps d'aller prendre livraison de l'objet !

Avec un sourire encourageant il ajouta :

— Ouvrez donc !

Le cœur battant, elle souleva le couvercle et poussa un cri de surprise.

— Quelle merveille ! s'écria-t-elle, tenant en pleine lumière une bague de diamants roses étincelant de tous ses feux.

Shep lui saisit la main gauche.

— C'est une bague de fiançailles, ma chérie, dit-il la lui glissant à l'annulaire.

— La couleur de cette pierre est unique...

— Oui ! Aussi rare que vous.

Son regard plein de tendresse ne la quittait pas.

— J'avais remarqué, poursuivit-il, que vous portiez souvent du rose quand vous n'étiez pas au bureau. Votre châle irlandais a cette couleur irisée. D'ailleurs, pour tout dire, quand je vous ai rencontrée, j'ai remarqué trois choses : d'abord votre joli visage, puis votre robe ancienne et enfin ce châle. Vous m'êtes apparue comme une grande dame de l'époque victorienne venue par erreur rendre visite aux gens du XXᵉ siècle. La couleur de vos vêtements mettait en valeur la teinte dorée de vos cheveux et rosissait vos joues.

Il laissa ses doigts courir à travers les mèches éparses de sa longue chevelure.

— Je veux que vous soyez ma femme, Tess, et aussi ma meilleure amie, ma collaboratrice.

Elle se jeta dans ses bras, tremblante et émue. Il la serra contre lui. Leurs cœurs battaient à l'unisson.

— Je n'ai pas voulu me l'avouer, murmura-t-elle, mais je vous ai appartenu dès notre première rencontre. Je sais combien, grâce à vous, j'ai mûri au cours de cette dernière année. J'ai enfin débrouillé l'écheveau de mes propres sentiments.

Elle passa tendrement la main sur son bras musclé.

— Je vous ai toujours aimé, Shep. Toujours !

— Vous avez toujours été mienne, répondit-il. Dorénavant, nous aurons toute la vie pour nous découvrir complètement.

Il plongea son regard dans le sien et la contempla amoureusement.

— Comme je vous aime, ma princesse ! Et je vais passer le reste de mon existence à vous le prouver. Venez maintenant, je meurs de faim... On va préparer le plus succulent petit déjeuner qu'on puisse imaginer et ensuite...

Tess sourit, refoulant des larmes de bonheur.

— Nous allons faire un fameux couple, tous les deux !

— Le plus heureux du monde !

Elle sauta du lit et il la reçut dans ses bras. Un long moment, il la tint enlacée, cherchant et trouvant ses lèvres.

Dans la douce intimité de la chambre à coucher, le soleil projetait sur le mur leurs ombres réunies. Quelque part, de l'autre côté de la fenêtre, une alouette chantait, annonçant l'aube d'un jour nouveau, d'une vie pleine d'espoir.

JANE CLARE

Le printemps au cœur

Il était toute sa joie

Robin... sa présence, sa chaleur,
son amour... Pourquoi Eva a-t-elle quitté,
sans un mot, sans une explication,
cet homme qu'elle aimait?

Trois ans ont passé... Bien sûr, Eva
a travaillé durement, réussi une brillante
carrière à la télévision. Mais que
vaut son succès sans Robin?
Un homme comme lui, on n'en
rencontre qu'un dans sa vie.

Trop tard. Eva ne connaîtra
plus jamais un tel amour.
Et pourtant, il ne s'écoule pas
un jour sans qu'elle pense à lui...

Duo *Série Harmonie*

KATHRYN BELMONT
Marina, la nuit
Entre rêve et réalité

Paolo Cortelli est le plus célèbre
ténor du monde. Sa voix de velours,
ses beaux yeux noirs, son charme ont
séduit les foules. Et c'est avec lui
que Marina Karansky va chanter
ce soir pour la première fois.

Leur duo est un triomphe.
Marina rêve-t-elle ? Les regards,
les gestes de Paolo sont-ils
seulement des jeux de scène ?

Allons, la jeune cantatrice
se fait des illusions. Tout
le monde sait que le grand
Paolo Cortelli est lié à Célia
Livingstone, la star de l'opéra.

Bouleversée par son succès
autant que par ses sentiments,
Marina sent que quelque chose
est en train de changer
dans sa vie...

Duo *Série Harmonie*

BROOKE HASTINGS

L'amour est une aventure

Elle était trop sûre d'elle

Quand Katherine Garvey prend en charge
la campagne électorale d'un candidat,
rien ne compte plus pour elle que
son succès professionnel.

La victoire d'Anthony Larimer sera
son prochain défi.

Pourtant on l'a mise en garde contre
cet homme dont la personnalité est
aussi mystérieuse que le passé.

Katherine n'est-elle pas en train de
se jeter dans la gueule du loup ?

Duo *Série Harmonie*

Achevé d'imprimer sur les presses de l'imprimerie Bussière
à Saint-Amand-Montrond (Cher)
le 3 octobre 1984. ISBN : 2-277-83036-4
N° 2052. Dépôt légal octobre 1984. Imprimé en France

Collections Duo
27, rue Cassette   75006 Paris
diffusion France et étranger : Flammarion